UNIVERSALE
ECONOMICA
FELTRINELLI

ANDREA CAMILLERI
I racconti di Nené

Raccolti da Francesco Anzalone e Giorgio Santelli

© Giangiacomo Feltrinelli Editore Milano
© 2013 Melampo Editore srl
Prima edizione nell'"Universale Economica" giugno 2014

Stampa Nuovo Istituto Italiano d'Arti Grafiche - BG

ISBN 978-88-07-88424-5

www.feltrinellieditore.it
Libri in uscita, interviste, reading,
commenti e percorsi di lettura.
Aggiornamenti quotidiani

razzismobruttastoria.net

I racconti di Nené

Nel 2006, e dunque ben sette anni fa, Francesco Anzalone mi chiese un'intervista televisiva, piuttosto lunga e da trasmettersi perciò a più riprese, che toccasse diversi aspetti della mia vita e della mia attività di regista prima e di narratore poi. Accettai ben volentieri e devo dire che ho memoria di quegli incontri come una piacevolissima chiacchierata tra due amici. Perché con Francesco, prima mio allievo regista all'Accademia d'Arte Drammatica e poi amico, non solo ci frequentavamo da tempo, ma egli, in quell'occasione, si rivelò anche un abile stimolatore. Nel senso che sapeva quali corde di me bastava sfiorare per farle risuonare a lungo.

Non dimenticate che questa "intervista" era, in origine, destinata alla televisione. Qui ne avete solo l'audio e non anche il video.

Vengono cioè a mancare pause, espressioni, movimenti delle mani e del volto che sottolineavano o rafforzavano o colorivano alcuni momenti del discorso. Pazienza, supplite voi con la vostra fantasia.

Andrea Camilleri

Il fascismo negli occhi di un ragazzo

Io sono nato nel '25, cioè a dire tre anni dopo che il fascismo in Italia aveva preso il potere. Quindi sono stato un bambino allevato in pieno regime fascista, e per quello che può essere la mentalità di un bambino, be', era uno splendido regime. Era una cosa meravigliosa.

Mio padre, che era squadrista, mi prendeva per mano e mi portava alle adunate. Gridavamo "Duce, Duce, Duce" e sentivamo sulla pubblica piazza, dove installavano gli altoparlanti, i discorsi di Mussolini. Era una partecipazione popolare molto vasta.

Tra le prime cose che io scrissi, oltre alla doverosa poesia *Alla mamma*, naturalmente scrissi anche una poesia per Benito Mussolini che conservo tuttora.

Allora non c'erano i Figli della Lupa, vennero dopo. Allora si era Balilla.

Quando diventai Balilla, orgogliosissimo della mia divisa e del mio moschetto, che aveva la baionetta incorporata con una pallina sopra, in maniera che non ci facessimo male, cominciai a partecipare ai sabati fascisti, che erano delle marce in cui si cantavano inni patriòttici.

C'era un grosso spirito guerriero che, naturalmente, venne molto esaltato, quando io avevo 10 anni, con la campagna per la conquista dell'Impero, la guerra di Abissinia.

In quegl'anni, io leggevo molti giornaletti, "L'avventuroso", "L'Audace", ma anche un settimanale per i giovani, "Il Balilla", dove venivano raccontate le imprese africane di un Balilla, mascotte del nostro esercito in Africa.

Allora, di nascosto dai miei, e soprattutto senza dire niente a papà, perché capivo che, per quanto fascista, non sarebbe stato felice della mia idea, scrissi a Mussolini una lettera nella quale dicevo che volevo partire come volontario per l'Africa Italiana, per fare la guerra. Perché la mia voglia, il mio desiderio più forte, in quegl'anni, era di poter combattere e ammazzare gli abissini.

Mi dimenticai di mettere l'indirizzo, di conseguenza dal fascio di Roma scrissero al segretario politico di Porto Empedocle, che era il fratello minore di Luigi Pirandello, che non aveva niente di guerriero perché era un signore, professore di matematica, che girava con uno scialletto addosso. Questo signore mi chiamò:

"Ma tu hai scritto a Mussolini per partire volontario?".

"Sì."

"Il duce ti ha risposto."

E mi fece vedere una lettera, nella quale si diceva: "Vi preghiamo di comunicare al giovane Balilla Andrea Camilleri che è troppo giovane per fare la guerra, ma non mancherà occasione. Firmato M di Mussolini".

Infatti non mancò occasione negli anni che vennero.

Purtroppo quella lettera se la tenne il professor Innocenzo Pirandello, perché io oggi l'avrei appesa incorniciata in salotto, tanto la trovo divertente.

Le prime distanze

Crescendo con gli anni e, soprattutto, frequentando i miei professori del liceo, cominciai a capire che il fascismo non era la cosa splendida che mi appariva e incominciai ad avere lunghe crisi di coscienza, finché nel 1942 mi capitò di leggere un libro, *La condizione umana* di André Malraux, passato stranamente attraverso le maglie della censura fascista, attraverso il quale, per la prima volta, capii che i comunisti non mangiavano i bambini, non erano degli assassini, ma erano gente come noi.

Ebbi una tale emozione nel leggere questo libro che credo mi spuntarono dei brufoli, mi venne la febbre alta nella notte. E da quel momento in poi cominciai a ragionarci sopra, forse troppo.

Cominciai a scrivere, e siccome non volevo più andare a festeggiare il sabato fascista, non volevo più fare queste passeggiate, queste marce, queste gite, mi feci esonerare.

Trovai un medico amico che mi fece un certificato medico. Scrisse, mi pare di ricordare, che avevo un'endocardite acuta di origine reumatica. Scoprii presto che altri tre o quattro ragazzi avevano la mia stessa malattia, anche loro avevano l'endocardite.

Allora io, insieme a questi quattro-cinque endocardici, andammo dal federale, ci presentammo con tanto di saluto fascista e dicemmo:

"Noi siamo endocardici, vorremmo essere esonerati".

"Va bene," ci disse, "però andate a lavorare. Che lavoro volete fare?"

Rispondemmo "tipografia", e quindi andammo nella tipografia di Agrigento e ogni sabato andammo e imparammo come si compone lettera per lettera sui *flan*.

Da lì ci venne l'idea di fare un giornale. In questo giornale, che noi facemmo e di cui uscirono sette numeri, io scrivevo gli articoli di fondo. Ad un certo punto il professore di religione mi chiamò e mi disse:

"Guarda che il vescovo ti vuole vedere".

"Il vescovo? E che vuole da me?"

Ci andai.

Il vescovo era un uomo di un carisma straordinario, non era siciliano, era di Alessandria, piemontese. E mi disse:

"Ma tu, queste cose che scrivi... Che cosa leggi?".

Gli raccontai che cosa leggevo. Leggevo i giornali dei Guf di allora, e questi articoli erano firmati, metti conto, Pietro Ingrao, Mario Alicata...

Allora il vescovo:

"Ma tu lo sai che sei comunista?".

A questa frase atterrii. Risposi:

"Ma non è vero, non è possibile, cosa le viene in mente. Io leggo solo questi giornali, sono questi che mi fanno scrivere".

Mi disse:

"Va bene, va bene... ne riparleremo, figlio mio".

Dopo una settimana, i cinque endocardici vennero convocati dal professore di religione, e nella sacrestia della chiesa di San Pietro di Agrigento Monsignor Angelo Ginex cominciò a spiegarci, con par condicio assoluta, che cos'erano *Il capitale* di Carlo Marx e la *Rerum Novarum*.

E lì capii. La chiesa cominciava a mettere le mani avanti nella formazione della nuova classe dirigente.

La formazione politica

Immediatamente dopo l'arrivo degli americani, dico gli americani più degli inglesi, perché dalle parti nostre erano più presenti le truppe americane, in Sicilia scoppiò il Movimento Separatista.

Questo Movimento Separatista era un movimento serio, non era mica uno scherzo. Aveva truppe armate e ben organizzate, con gerarchie precise e personaggi di riferimento, il bandito Giuliano per esempio, che era colonnello dell'Evis, che era l'Esercito volontario per l'indipendenza della Sicilia.

Insomma, il movimento era molto grosso e preoccupante e devo dire che era, non credo di rivelare nulla di eccezionale, molto ben visto dagli americani in quel momento. Tanto è vero che gli americani fornivano loro anche la carta per il volantinaggio. Infatti bastava guardare in controluce quella carta per vedere l'iscrizione USA dell'armata delle truppe americane.

Quei cardiopatici che, durante il fascismo, avevano acquisito un minimo di coscienza politica decisero di affrontare la cosa. La cosa interessante è che, in questo gruppo, ognuno di noi si era fatto un'idea politica precisa, non eravamo tutti della stessa idea.

La par condicio messa in atto da Monsignor Ginex aveva dato i suoi effetti. C'era già chi era del Partito popolare (allora non c'era la Democrazia cristiana), chi era socialista, chi comunista come me.

Tutti insieme, decidemmo di opporci, per quanto potevamo, al separatismo, fondando delle sezioni di partito, in maniera che, via via che l'Italia veniva liberata, noi potessimo agganciarci con i partiti che c'erano nel resto della penisola e quindi creare questo ponte tra l'isola e il continente.

Per aprire la sezione di un partito, allora, bisognava rivolgersi agli americani, vale a dire all'Amgot, alla sezione amministrativa del territorio occupato. Noi cardiopatici andammo dal maggiore Kewin, il quale:

"Va bene, tu vuoi fare il Partito popolare, fallo... Tu vuoi fare il socialista, fallo... Tu che vuoi fare?" disse a me.

"Voglio fare la sezione comunista."

"Non se ne parla," rispose.

Già da allora non se ne parlava.

Mi intignai, sapevo già che i comunisti erano stati una forza viva della Resistenza, non aveva senso subire così. Allora mi venne la felice ispirazione di andare dal vescovo. Ci andai e gli raccontai la storia degli americani.

"Te l'avevo detto che eri comunista," mi disse.

Si prese questa soddisfazione.

"Gli parlo io. Meglio tu che un altro."

Parlò con gli americani e così ottenni, attraverso il vescovo, il permesso di aprire la sezione del Partito comunista a Porto Empedocle.

In altri termini, realizzai quello che Berlinguer non riuscì mai a realizzare, una sorta di compromesso storico.

Naturalmente la cosa andò avanti per poco tempo perché, dopo un po', cominciarono ad arrivare i veri comunisti, quelli che si erano fatti dieci anni di confino, cinque anni di galera, e a me, non dico che mi cacciarono fuori, ma mi misero completamente in disparte. Comunque la mia formazione politica era già avvenuta in quegli anni.

I compagni di classe

C'è tutta una letteratura sul fatto dei due vecchi compagni di scuola che si incontrano da adulti e poi uno dei due non riconosce l'altro e finge invece di ricordarsi benissimo. A me questo non è mai capitato, io mi sono sempre ricordato dei compagni di scuola, a cominciare da quelli delle scuole elementari e quelli del liceo. Non quelli dell'Università, perché all'Università si hanno compagni spuri, ma quelli che erano compagni di classe veri, quelli vicini di banco, quelli che stanno dietro, quelli sì che te li ricordi.

Quando andai alle elementari per me fu una festa. Io e il mio amico Ciccio Burgio eravamo gli unici due figli di piccoli borghesi, tutti gli altri compagni di scuola erano figli di pescatori, di carrettieri, di gente di mare, di spalloni del porto...

Quanto imparai in quegli anni di scuola elementare. Prima di tutto un repertorio di parolacce che mi sono portato dietro e che tornano frequentemente nei miei romanzi, e poi il concepire la vita in un modo diverso da come fino a quel momento me l'avevano insegnata in casa.

E devo dire che mi venne la voglia di primeggiare, non solo per il fatto che leggevo, ma primeggiare proprio come uomo, come capo banda. Mi feci una banda personale che si sfidava a pietrate con un'altra banda e fu una prova di virilità, da bambino, non avere paura del combattimento corpo a corpo, con ragazzi più robusti che menavano duro.

Fu una bellissima scuola quella elementare.

Al ginnasio e al liceo ebbi una fortuna straordinaria, soprattutto al liceo, quella di avere avuto dei professori incredibili, che sono quelli che mi hanno formato. Il professor Cassesa, il professore di italiano, alla terza lezione che ci fece, meravigliosa, su Dante, ci disse:

"Ragazzi, ora io non vi faccio più lezione perché ho calcolato che, per le lezioni che faccio, lo Stato mi paga poco. Quel poco serve per tre lezioni, se volete che io vi faccia ancora lezione, mi pagate voi personalmente".

"Ma che tipo di ragionamento è?" gli dissi.

"Io non vi chiedo molto, vi chiedo un pacchetto di sigarette per lezione."

Quindi noi ci tassammo. Gli compravamo un pacchetto di Macedonia, gliele facevamo trovare sulla cattedra e lui faceva queste meravigliose lezioni su Dante, e lo spiegò in un modo tale, che io tuttora sono in condizioni di spiegarlo a figli, nipoti...

Eravamo poi esosi nei suoi riguardi, perché, finché non suonava la campanella, lui doveva parlare, perché lo pagavamo noi. Solo dopo alcuni anni mi resi conto che questo individuo, con questo sistema, ci aveva praticamente presi in giro tutti perché ci aveva interessato alle sue lezioni, che oltretutto erano bellissime.

Un altro professore straordinario era quello di filosofia, Carlo Greca. In una delle prime lezioni ci disse:

"Io non vi interrogo, non mi interessa interrogarvi. Voi dovete ogni giorno dire: 'desidero sì' o 'desidero no'. 'Desidero sì' significa essere interrogati, 'desidero no' significa non volere essere interrogati".

Dopo dieci volte che dicevi "desidero no", lui ti diceva:

"Guarda che hai sommato dieci desideri no...".

Dopo di che, tu studiavi la filosofia e dicevi "desidero sì", e lui ti interrogava per tutte le volte che avevi detto "desidero no", lasciandoti libero di studiare tutte le altre materie come e quando volevi.

Erano professori strepitosi, con una forza che difficilmente ho ritrovato successivamente.

Il professore di greco era un prete novantenne, perché c'era la guerra e i professori giovani li chiamavano al fronte. Uno scheletro... Io ho anche cercato di disegnare, in due o tre romanzi di Montalbano, la figura di questo prete.

Il primo giorno che venne a farci lezione, venne con una borsa logora; arrivato ad un certo punto guardò l'orologio, prese la borsa, aprì la porta e si nascose dietro.

"Vedi che fa il professore."

Uno di noi si alzò e andò a vedere. Il professore stava ciucciando del latte con il biberon, un biberon che si era portato appresso, perché non aveva denti e ciucciava come un bambino. Lo adottammo. Professore venga... bum, bum... Botte sulle spalle, per fargli fare il ruttino, e dopo lo facevamo sedere sulla cattedra. Era meraviglioso.

Spiegava il greco in un modo divino e io non fui mai interrogato, perché lui ogni volta che interrogava seguiva il registro di classe e faceva: "Alaimo, Alaimo, Burgio, Butticè...", stava per dire Camilleri e suonava la campana. Ma la lezione seguente ripartiva: "Alaimo, Alaimo, Burgio, Butticè" e suonava la campana...

Quindi alla fine dell'anno Camilleri e seguenti non avevano manco un'interrogazione. Alaimo, Alaimo, Burgio e Butticè erano stati interrogati praticamente quasi ogni giorno.

Professori straordinari.

Tra questi miei compagni di liceo ci sono stati i cardiopatici di cui ho già parlato, Luigi Giglia, Mimmo Rubino e Gaspare Giudice, che poi diventerà il più importante biografo di Pirandello, persone con le quali mi sono formato e il cui ricordo non è scindibile assolutamente dalla mia esistenza.

Lo sbarco degli americani in Sicilia

Mussolini aveva scritto che non sarebbe mancata occasione, infatti l'occasione non mancò.

Nel luglio del 1943 avevamo appena finito il liceo e non avevamo fatto l'esame di maturità, eravamo stati promossi, bocciati o rimandati per scrutinio, dato che l'esame era impossibile, perché gli alleati erano arrivati a Lampedusa.

Io dunque, con molti dei miei compagni, venni richiamato alle armi con un anno e mezzo di anticipo rispetto alla mia classe. Ero in Marina e mi portarono per sei giorni alla base navale di Augusta, ma nella notte del 9 luglio gli americani sbarcarono a Licata e io, nuovamente libero, cominciai un periplo dell'isola per ritornare dai miei che erano sfollati a Serradifalco. I miei, non mio padre che era rimasto a Porto Empedocle.

Arrivai a Serradifalco, ma proprio lì la Hermann Göring, la divisione tedesca, aveva fatto una linea difensiva e non si riusciva a dormire perché bombardavano continuamente. Gli americani erano vicinissimi.

Poi, finalmente, una mattina all'alba sentii cantare gli uccelli. Era una settimana che non sentivo cantare gli uccelli, c'era un silenzio incredibile.

Il giorno prima c'era stato un episodio brutto. Ero andato per chiedere delle vettovaglie, perché nella casa dove stavamo eravamo circa una trentina di persone. I tedeschi, in cambio di vino, mi avevano dato qualcosa. Mentre stavo tornando verso casa, c'era stata un'incursione di aerei americani che avevano spezzonato il campo tedesco e un tedesco era stato fatto a pezzi.

Allora lo avevano raccolto (io ho assistito a quest'operazione), l'avevano messo dentro un sacco e poi, visto che doveva essere cattolico, gli avevano messo una croce con il nome e il grado incisi e lo avevano sepolto proprio sul bordo della strada; la strada era infossata e costeggiata da un muretto, quindi questa croce era lì, in alto, rispetto al battistrada.

Quella mattina mi alzai, uscii e vidi che i tedeschi non c'erano più, si erano ritirati; davanti a me, dall'altro lato della strada, c'era questa croce del tedesco morto. Ad un tratto sentii un rumore, mi voltai verso destra e vidi una cosa che non avevo mai visto, una sorta di casa con un cannone gigantesco: era un carro armato Sherman, di fronte al quale gli altri carri armati sembravano scatole di sardine, che avanzava.

Era il primo carro armato americano che vedevo. Rimasi così, immobile, a vederlo avanzare.

Ma mentre stava avanzando, era quasi arrivato alla mia altezza, si spostò sulla destra e venne superato da una jeep. Su questa jeep c'era un negro che guidava, un ufficiale seduto a fianco e poi, in piedi, che si teneva alla sbarra che attraversava la jeep, un signore in divisa, con tre fiori sull'elmetto. Era un Generale, e ai fianchi aveva due revolver.

Arrivato alla mia altezza, batté sull'elmetto del conducente, quello si fermò, il Generale prese la croce del tedesco, la strappò, la spezzò sul ginocchio, la buttò dietro e la jeep ripartì.

Intanto il carro armato mi aveva appena superato e solo in quel momento mi accorsi che dietro c'erano dodici uomini, tutti chinati. Erano i primi americani che vedevo. L'ultimo della fila, dopo che mi aveva sorpassato, tornò indietro, si avvicinò e mi disse:

"Bacio le mani paesà... Ce l'avete 'na 'nticchia d'olio? Perché voglio fare 'n'insalata per il capitano... l'erba, l'insalata, la pigliavo strada facendo, l'aceto me lo dettero, me manca sta 'nticchia d'olio. Fra due ore torniamo".

Mi trovai in un bagno di pianto, non riuscivo a capire perché:

"Sì, va bene, ti trovo l'olio".

Tornarono dopo due ore come avevano detto.

"Trovasti l'olio?"

"Lo trovai."

Erano tutti siciliani, parlavano in dialetto, tranne il capitano, che era americano.

Il soldato che mi aveva fermato preparò l'insalatina che aveva promesso e mentre se la mangiavano tutti insieme io, che mi ero seduto con loro, gli dissi:

"Paesà, passò uno con tre fiori in testa, pigliò

la croce di un povero soldato tedesco morto e la ruppe sulle gambe".

"Ah," disse, "quello è un Generale che non ce ne sono come lui. Lo vedi, va in testa a tutti. Come Generale è un Dio. Ma come uomo è un fituso. È 'na cosa fitusa... Si chiama Patton."

Questo è il ricordo che ho io del Generale Patton, e dello sbarco degli americani in Sicilia.

La mafia e il separatismo

Gli americani portarono la libertà, però è altrettanto indiscutibile che l'arrivo degli americani in Sicilia significò il risveglio della mafia che era stata, in quegli anni, in quiescenza.

Con gli americani la mafia tornò al potere.

Se fino a quel momento la mafia aveva agito attraverso degli uomini politici a cui era legata, con gli americani agì in prima persona. Faccio un solo esempio documentato, sul quale non si può discutere. Su sessanta paesi della provincia di Palermo, vennero eletti sindaci, dagli americani, ben trenta mafiosi, quindi trenta paesi passarono sotto il controllo diretto della mafia.

Forse perché la mafia aveva aiutato gli americani nello sbarco e alcuni di loro erano stati paracadutati qualche tempo prima per preparare il terreno, visto che gli americani si aspettavano una certa resistenza della popolazione siciliana. Fatto sta che i capi mafia del periodo erano spesso ricevuti con tutti gli onori dall'Amgot e potevano dettare legge. Ed è questo il motivo che, in fondo, porterà nel 1947 alla strage di Portella della Ginestra. Strage realizzata dal bandito Giuliano contro alcuni contadini che festeggiavano il primo maggio.

Tutta la lotta del Partito comunista, in quegli anni, era stata quella di combattere la mafia. E se si facesse un vero e ragionato elenco di tutti i sindacalisti, non solo del Partito comunista ma anche della Democrazia cristiana, dei Socialisti, ammazzati brutalmente solo perché facevano il loro mestiere di sindacalisti, già questo sarebbe una traccia seria da seguire per gli storici, per capire cosa è stato quel periodo in Sicilia.

Certamente il sole incendiava le campagne ma non era solo il sole, era il tritolo, i colpi dei fucili mitragliatori... e caddero a decine, uomini di tutti i partiti, perché l'alleanza tra la mafia e gli agrari venne immediatamente stretta.

Fallito il tentativo del separatismo, la mafia cercò in qualche modo di nazionalizzarsi, e questo venne reso possibile nel 1947 – parlano i documenti e non sono parole mie – quando vagavano in Sicilia 200 mila voti che erano dei separatisti, ormai fuori gioco.

Questi 200 mila voti vennero offerti in blocco alla Democrazia cristiana.

L'onorevole Giuseppe Alessi, allora capo della Dc, disse: "Non possiamo accettare 200 mila voti così alla cieca, senza sapere la loro provenienza, rischiamo un'infiltrazione mafiosa nella Democrazia cristiana, che fino a questo momento è stata completamente fuori dalla mafia". L'onorevole Alessi andò in minoranza e i 200 mila voti entrarono nella Dc, sporcando il sangue di quei democristiani che ci avevano rimesso la vita con il loro

onesto lavoro e con il loro serio impegno di sindacalisti.

Le persone civili, come si usa dire in Sicilia per
indicare le persone per bene, fino a qualche tempo fa, se c'era un conflitto fra mafiosi, chiudevano
le finestre e dicevano: "Fatti loro".

In Sicilia ci abbiamo messo più di cinquant'anni per capire che non erano fatti loro, erano anche
fatti nostri.

Oggi fortunatamente qualche cosa si comincia
a capire e il mutamento nei confronti della mafia
credo che ci sia e sia molto forte, ma è un mutamento che avviene nel Dna dei siciliani ed è poco
visibile in superficie.

Ma proprio perché avviene nel Dna, io sono
convinto che sarà assai duraturo.

Portella della Ginestra

Portella della Ginestra è un argomento che tuttora, a tantissimi anni di distanza, non mi lascia tranquillo.

Tempo fa mi è capitato di leggere di un senatore della Repubblica che, nelle sue memorie, sosteneva che i comunisti erano avvertiti di quella strage, tant'è vero che non andarono a Portella della Ginestra.

Io credevo che all'infamia ci fosse un limite. Invece all'infamia non c'è limite.

È risaputo anzitutto che quelli che morirono erano comunisti e che i due oratori ufficiali, Girolamo Li Causi, grande esponente del Partito comunista, e Francesco Renda, professore emerito di storia contemporanea all'Università di Palermo, allora giovane rappresentante della Camera del Lavoro di Palermo, partirono da Palermo per andare a Portella con i mezzi che avevano, un sidecar guidato da Ciccio Renda, con Momò Li Causi che se ne stava seduto al posto del viaggiatore. A dieci chilometri da Palermo gli si scassò questo mezzo, l'unico che avevano. Impiegarono mezz'ora a ripararlo e quando arrivarono la strage era già avvenuta.

Questo per la precisione storica.

Io avevo festeggiato con i miei compagni il primo maggio a Porto Empedocle, e devo dire che avevo bevuto parecchio.

Allora bevevo vino.

Tornai a casa e dopo dieci minuti bussarono alla porta. Andai ad aprire e c'era un compagno stravolto che mi disse:

"Lo sai, questa mattina hanno fatto una strage dei nostri compagni a Portella della Ginestra".

Non so che cosa mi capitò, mi venne un tale rigurgito per cui andai in bagno e vomitai anche gli occhi. Non solo il vino che avevo bevuto, ma tutta la bile.

Una sensazione terribile e intensa, così forte che, dal primo maggio 1947 ad oggi, non sono più riuscito a bere un goccio di vino.

L'amicizia in Sicilia

Sull'amicizia credo che si siano scritti centinaia di volumi, su quello che può essere l'amicizia, quindi, non mi posso allargare più di tanto. Vorrei limitarmi a parlare dell'amicizia siciliana, dire che cosa è il concetto di amicizia in Sicilia e come si pratica.

C'è un esempio che mi ha sempre colpito.

Luigi Pirandello e Nino Martoglio erano amici per la pelle. Amici veri. È Martoglio che fa debuttare Pirandello in teatro, e poi l'aiuta in tutti i modi possibili. Sono legati per la vita e per la morte. Nelle loro lettere arrivano ad espressioni per noi oggi imbarazzanti, come: "...Vi bacio sulla bocca, caro compare".

Allora ci si comincia a chiedere: "Ma che tipo di amicizia è?". Qualche cosa di più che essere gemelli.

Essere gemelli può cominciare ad essere una definizione, certo per difetto, ma sulla strada.

Poi un giorno questa amicizia si può interrompere.

Quando leggiamo la spiegazione che Pirandello dà a Martoglio per l'interruzione della loro amicizia, dice: "Voi, caro compare, l'altra sera avete detto una parola, una sola parola, che non dovevate dire...".

Sembra quasi ridicolo così, ma evidentemente quella parola assumeva un peso che metteva in discussione tutta l'amicizia precedente.

C'è da chiedersi se l'amicizia siciliana non sia un'arte assai difficile da esercitarsi.

Io mi sono reso conto che, tra siciliani, un vero amico non deve chiedere all'altro una qualche cosa, perché non c'è bisogno, in quanto sarà preceduto dall'offerta dell'amico, che ha intuito la domanda che sarebbe arrivata.

È un po' complesso. Già mettere un amico nelle condizioni di fare una richiesta indica un'amicizia imperfetta.

Ecco perché parlavo di gemelli, perché a volte, tra loro, avviene questo tipo di scambi mentali, per cui magicamente si avvertono le necessità reciproche.

Poi c'è un altro aspetto meraviglioso dell'amicizia siciliana e anche questo lo racconto con un esempio.

C'era un mio amico carissimo che non vedevo da dieci anni. Ero già qui a Roma, sposato. Un giorno mi chiama e mi dice:

"Ho due ore di tempo tra un treno e l'altro e vorrei venirti a trovare".

Mi viene a trovare e ci abbracciamo, ci baciamo e ci sediamo sul divano l'uno accanto all'altro. Dopo due ore il mio amico si alza, mi bacia, mi abbraccia e se ne va.

Mia moglie, che non è siciliana ed è, oltretut-

to, anche di educazione milanese, mi dice ester-
refatta:

"Ma non vi siete parlati, non vi siete detti niente, siete rimasti in silenzio, avrete scambiato in
tutto solo cinque o sei parole".

Non poteva capire quante cose c'eravamo detti, da veri amici, in tutto quel silenzio.

Ecco, questo è un altro aspetto misterioso e
indecifrabile dell'amicizia siciliana.

L'Ammiraglio Pirandello

Luigi Pirandello l'ho conosciuto di persona. Nel 1935, io avevo 10 anni.

Immaginate un pomeriggio nel profondo Sud, di giugno, con un gran bel caldo.

Mia nonna paterna, che viveva con noi, era andata a letto a farsi la pennichella, e così anche i miei genitori.

Erano le tre e mezza del pomeriggio, bussano alla porta, vado ad aprire e mi terrorizzo. Mi trovo davanti un Ammiraglio in grande uniforme. Ne avevo visti Ammiragli, la feluca, la mantellina, lo spadino e soprattutto una grande quantità di ori su per le maniche.

Mi guarda e mi dice:

"Tu cu sì?" (tu chi sei?).

"Iò sugnu Nené Cammilleri."

"To' nonna Carolina unn'è?"

"Dorme."

"Chiamala. Digli che c'è Luigino Pirandello."

Io vado da mia nonna che dormiva, e dico:

"Nonna, di là c'è un Ammiraglio che dice che si chiama Luigi Pirandello".

"Oh Madre Santa," esclama mia nonna, quasi precipitando dal letto. E rivestendosi.

Allora, vado nella stanza dei miei genitori:

"Di là c'è un Ammiraglio che si chiama Luigi Pirandello".

E anche loro: "Oh Madre Santa".

Un altro macello. Si spaventarono talmente che io mi terrorizzai. Mi nascosi dietro una porta a guardare che cosa succedeva e vidi l'Ammiraglio che stava abbracciato con mia nonna, lei piangeva e lui ripeteva:

"Oh Carolina, la nostra giovinezza".

Questo è stato il mio incontro con Luigi Pirandello, che era venuto per inaugurare le scuole comunali di Porto Empedocle ed era in divisa d'Accademico d'Italia.

Devo confessare che ne provai un tale rigetto che ho messo in scena Pirandello solo molto tardi rispetto alla mia carriera e proprio tirato per i denti, forse perché dovevo ancora elaborare lo spavento che mi ero preso quando avevo 10 anni.

Poi sono entrato nel suo mondo e non finisco di scoprirlo e studiarlo ancora oggi, al punto di avere realizzato un'antologia in cui ho raccolto soltanto le cose di Pirandello che mi hanno colpito particolarmente e che hanno influito nella mia crescita artistica e umana.

Ma c'è un'altra storia che vorrei raccontare.

Tra Porto Empedocle e Agrigento c'è stata una lunga diatriba. Pirandello doveva nascere a Porto Empedocle. Aveva già pronta la cameretta, il lettino, tutto, ma capitò la solita passata di malattie spaventose e contagiosissime. Così la madre di Luigi Pirandello decise di isolarsi e se ne andò in una casa di campagna, che era in territorio agri-gentino, seppure soltanto per cinque metri.

Questa cosa è stata sempre ritenuta dagli empedoclini, la nascita ad Agrigento di Pirandello, come un'offesa personale.

Ma si sono rifatti qualche anno fa. In una piazza del mio paese hanno messo una statua di Pirandello, con un'improbabile scritta sotto: "A Luigi Pirandello, la sua seconda città natale".

Probabilmente non si nasce una sola volta.

Ma io sostengo che quello della statua non è Pirandello. Con la caduta del comunismo c'è stata una grossa svendita di statue rappresentanti Lenin, Stalin...

Quello della statua ha delle grosse scarpe da contadino, un abito completamente spiegazzato e punta il dito indice in avanti. Be', Pirandello semmai il dito lo avrebbe puntato verso se stesso, o piuttosto verso il passato, e non certo verso il futuro, vista la sua sfiducia nell'avvenire.

E poi Pirandello era di un'eleganza e di una raffinatezza..., sulle sue scarpe Lucio D'Ambra ci ha scritto addirittura un articolo, perché gliele invidiava.

Secondo me, quello è Lenin!

Il teatro e le prime esperienze

Ho fatto teatro per oltre trent'anni, ho fatto anche televisione e moltissima radio; se dovessi fare una sorta di classifica relativa alle mie preferenze, direi che prima viene il teatro, poi la radio e poi la televisione.

E il teatro è stato anche un amore della primissima giovinezza. Nel 1942, partecipai a Firenze, come regista di una compagnia di dilettanti, a un concorso organizzato dalla gioventù fascista dell'epoca e mi classificai al secondo posto. Al primo posto si classificò un giovane che aveva qualche anno più di me, si chiamava Giorgio Strehler.

Io vivevo a Porto Empedocle che era allora un piccolo paese di 13-14 mila abitanti. Noi giovani che facevamo il ginnasio e poi il liceo non è che avessimo allora grandi svaghi, e poi c'era la guerra in corso.

La guerra, al mio paese, era la guerra, una cosa seria, perché essendo un porto dove stazionavano le navi da guerra, spesso veniva bombardato.

La sera qualche cosa dovevamo pur fare.

Bisogna tenere presente che non c'era ovviamente la televisione, non c'erano spettacoli o film e quindi dovevamo fare qualche cosa fra di noi.

Invece di continuare a giocare a carte, un giorno decidemmo di provare con il teatro. Facemmo una compagnia e chissà perché io venni eletto a dirigerla.

E così facemmo uno, due, tre lavori; il quarto che realizzammo decidemmo di portarlo a Firenze per il concorso che si teneva lì, ottenendo, oltre tutto, un buon riscontro.

Il primo premio letterario

Nel 1947 sentii l'impulso di scrivere una commedia, l'unica commedia che scrissi in vita mia. Sia chiaro, non è che poi ho scritto tragedie, voglio dire che quello fu l'unico lavoro teatrale che ho scritto.

Si intitolava *Giudizio a Mezzanotte* e, visto che c'era il Premio Firenze – Firenze è una città che ritorna spesso e volentieri nella mia vita. Avevo anche l'intenzione di fare l'Università a Firenze, ma poi arrivarono gli americani e io rimasi tagliato fuori –, decisi di mandare la mia commedia al premio.

La giuria era presieduta da Silvio D'Amico, che era il numero uno del teatro italiano di allora.

Dopo un po', mi comunicarono che avevo vinto il primo premio e che quindi dovevo andare a Firenze a ritirarlo. In quel momento in casa non avevamo soldi per pagare il viaggio, così mio zio vendette non so quale quantità di fave che aveva in campagna e con il ricavato mi pagò il viaggio. Arrivai a Firenze, mi diedero questo premio...

Ma io, sempre con l'idea della letteratura in testa, ne approfittai per andare al "Giubbe Rosse",

dove conobbi De Robertis, conobbi Montale...
persone che mi interessavano veramente.

Durante il viaggio di ritorno mi capitò di rileggere la mia commedia e mi parve così orrenda, così scopiazzata da Sartre, che aprii il finestrino e la buttai fuori.

Non ne esistono copie, a meno che non ci sia qualcosa negli archivi del premio.

Lasciare Porto Empedocle

Passati sei mesi dal Premio Firenze, ricevetti una lettera con questa intestazione: "Accademia Nazionale d'Arte Drammatica" di Roma.

La lettera era di Silvio D'Amico, che mi diceva: "Caro Camilleri, io devo riprendere le fila di un discorso interrotto dalla guerra, ma lei che ha scritto questa bella commedia, perché non si presenta, se ne ha voglia, come candidato regista all'Accademia? C'è una bella borsa di studio di lire 30.000...".

Non ridete, siamo nel 1949, la stanza con ingresso indipendente, che era fondamentale, costava 7.000 lire, un pasto all'Onarmo costava 100 lire, 105 se volevi il parmigiano. Lussi che ti potevi concedere con quella borsa di studio.

E in più la borsa di studio mi permetteva di fare quello che più di tutto mi interessava, frequentare questo mondo letterario che mi affascinava e che in qualche modo avevo già avvicinato... Già avevo avuto pubblicate alcune poesie nell'antologia di Ungaretti... e allora mi dissi: "Ma qui in Sicilia, che faccio? Non ho spazio".

Così presi al volo l'esame dell'Accademia e andai a provare quest'avventura.

Ma qui capitò una disgrazia. Furono due le disgrazie, per la verità.

La prima è che su trenta candidati allievi registi presero solo me, la seconda è che non c'erano allievi registi di secondo e terzo anno. E qui c'è la terza disgrazia aggiunta... Mi trovai ad avere come insegnante di regia, tutte le mattine che Dio mandava in terra, Orazio Costa. Io e lui chiusi dentro una stanza.

L'esame in Accademia

Risposi a D'Amico che avrei fatto il concorso in Accademia e che mi mandassero la lista dei documenti che dovevo preparare. Mi arrivarono "papielli" vari da compilare e li compilai, in più c'era da preparare una sorta di tesi di laurea su un'ipotetica messa in scena. Io scelsi *Come tu mi vuoi* di Luigi Pirandello.

Arrivai a Roma un pomeriggio di un settembre meraviglioso e Roma, nel '49, era di una straziante bellezza.

Andai al teatrino di via Vittoria e... non vedevo niente, era tutto buio, c'erano solo quelle lampade da tavolo, quelle che diffondono poca luce e soltanto sul tavolo. Qui la voce di D'Amico, riconoscibilissima, mi disse:

"Vai su a fare la scena".

E io:

"Io non ho preparato nessuna scena".

"Come non hai preparato nessuna scena? C'è una scena nel bando, perché non l'hai preparata?"

E io:

"Perché ritengo che il regista non debba saper recitare".

Sentii mormorii vari nell'oscurità, lentamente mi rendevo conto che la sala era gremita anche se non si vedeva nessuno.

Allora D'Amico:

"Avrei due strade davanti a me, una è cacciarti via subito perché non hai ottemperato al bando di concorso, l'altra è che ti do due ore di tempo, impari una scena in due ore e poi la vieni a fare qui".

Poi si voltò verso il buio di quella platea e disse:

"C'è qualcuno che lo vuole aiutare questo qui?".

Sentii una voce che disse: "Io". Si alzò un tipo altissimo che rispondeva al nome di Vittorio Gassman, ci infilammo dentro ad un camerino, lui agguantò la prima cosa che gli capitò sottomano che era *Arsenico e vecchi merletti* e preparammo una scenetta. Lui fu bravissimo a suggerirmela, a darmi le intonazioni, ma la frase di D'Amico mi raggelò.

"Ho capito perché non volevi fare la scenetta, perché sei un cane. Autentico."

Mi sedetti per l'esame teorico e la conclusione di Orazio Costa fu:

"Sappia che io non sono per niente d'accordo su quello che lei ha scritto e che ha discusso qua dentro". E questo dopo due ore di discussione.

Io mi alzai, salutai i presenti e pensai che non mi avrebbero mai ammesso.

Ma volevo godermela Roma. Avevo ancora qualche lira, così invece di stare nell'albergo dove alloggiavo, in via del Lavatore, me ne andai da un mio cugino ad Ostia, così risparmiavo e potevo allungare la mia permanenza a Roma.

Il giorno prima di tornare a Porto Empedocle,

passai all'albergo in via del Lavatore e lì trovai un mucchio di telegrammi di mio padre impazzito, che dicevano sostanzialmente:

"Sei stato ammesso all'Accademia con la massima borsa di studio. Perché non ti fai vivo?".

Le lezioni erano cominciate già da tre giorni. Mi presentai all'Accademia d'Arte Drammatica, c'era il bidello.

"Sono Camilleri."

"Ah, bono... Te presenti ora?... Avverto Orazio."

Dico:

"Sta facendo lezione?".

"No, sta a casa sua."

"Ah, oggi non fa lezione?"

"No, non fa lezione perché non c'è nessuno. Se non vieni tu, lui le lezioni a chi le fa?"

Fuori dall'Accademia

La mia frequentazione all'Accademia Nazionale d'Arte Drammatica – dove prendevo voti bellissimi e che sono riscontrabili perché esistono negli atti, come dieci in regia da Orazio Costa, che era un voto che forse non l'avrebbe dato né a Copeau, né a Reinhardt; dieci in Scenotecnica con Virgilio Marchi, che era lo scenografo di Pirandello – finì miseramente nel periodo estivo dopo il primo anno.

Dopo il primo anno, Costa decise di fare un grandissimo spettacolo, ed è lo spettacolo più bello che ho visto in vita mia, e ne ho visti tanti. Si intitolava *Il poverello di Assisi*, testo di Jacques Copeau, dove io facevo, oltre che l'aiuto regista, anche l'attore.

Eravamo una quarantina. In questo spettacolo, io avevo una battuta più lunga di Enrico Maria Salerno. Lui aveva una sola battuta in cinque atti ed era la seguente: "È il Papa?". E basta. Cinque atti. "È il Papa?" Salerno...

Io avevo invece la battuta: "Senza il più piccolo libro". Se calcoliamo, è assai più lunga della battuta di Salerno.

C'era questa comitiva fatta da Gigi Vannucchi, Glauco Mauri, Franco Graziosi, Enrico Maria Salerno. Successe che ci misero separati, ragazze e ragazzi.

Tre sventurati, ovvero io, Vannucchi e Salerno, avevamo le nostre ragazze che non potevamo vedere, se non con il cannocchiale o durante le prove.

Una gentile amica attrice, che poi sarebbe diventata la più elegante e brava attrice della compagnia dei giovani, Rossella Falk, ci venne incontro.

"Siccome la chiave ce l'ho io, tu, invece di abbracciarmi, mi dai la mano, io ti passo la chiave e nottetempo entri nel convento delle suore dove stanno le ragazze."

Quindi nottetempo irrompevamo Enrico Maria Salerno, Vannucchi e il sottoscritto nel convento delle suore, e andavamo ognuno nella cella dove stava la nostra rispettiva ragazza. Alle cinque del mattino, eravamo al primo piano, ci buttavamo dalle finestre e raggiungevamo il convento dei francescani, dove abitavamo tutti noi ragazzi.

Questa storia andava avanti da venti giorni. Il ventesimo giorno, mi addormentai, ci addormentammo, la madre guardiana aprì la cella, ci scoprì e scoppiò lo scandalo. E così venni cacciato via per indegnità morale. Fine della brillante carriera dell'allievo.

Devo dire che sono tornato molti anni dopo, negli stessi posti, da insegnante, e la cosa che più mi colpì di San Miniato era il fatto che era estremamente scoscesa, tutte salite e discese.

"Ma è successo un sisma negli ultimi tempi?" chiesi.

Il sisma era dovuto all'età, perché allora, avevo 25 anni, mi facevo nottetempo, alle cinque del mattino, di corsa, una salita pazzesca e arrivavo al convento dove dormivano i miei compagni, e, all'età di settant'anni, la stessa strada la facevo lentamente e mi sembrava lontanissimo, il convento che, invece, con due balzi, a 25 anni, raggiungevo.

Il rapporto con la regia teatrale

A ottant'anni e passa, devo dire che c'è solo uno che io riconosco di avere avuto come maestro nella mia vita, ed è Orazio Costa.

Orazio Costa prese il mio cervello che era tutto indirizzato verso la letteratura e lo dirottò sul binario del teatro. Io che già avevo patito, da giovane, il fascino del palcoscenico, ci cascai come una pera, tanto è vero che, da allora, non riuscii più a scrivere un rigo.

Mi misi a fare il teatro. All'inizio con una certa sufficienza, la sufficienza dell'intellettuale, del giovane sapiente che è in grado di spiegare all'attore come deve fare.

Alla seconda regia che stavo realizzando dopo anni di assistenza a Orazio, una sera in teatro sbottai, chiamai gli attori tutti in scena e li insultai violentemente.

Ora, c'era un rituale che si era instaurato in quei giorni di prova.

Il rituale voleva che io e un vecchissimo e bravissimo attore, Aristide Baghetti (che morì mentre lavorava al Piccolo Teatro di Milano, dove stava interpretando, a ottantun'anni, Firs ne *Il giar-*

dino dei ciliegi di Čechov, con la regia di Strehler), tornassimo insieme verso casa, lui abitava vicino casa mia.

Andavamo a piedi.

Quella sera, accompagnando a casa il signor Baghetti, dissi:

"Signor Baghetti, mi scusi". Non mi era parso giusto insultare un vecchio signore di ottant'anni.

E lui:

"Le vorrei fare una domanda. Perché non si pone il problema che noi siamo dispostissimi ad ascoltarla, ma che forse lei non si spiega con quella chiarezza che dovrebbe avere?".

Mi sentii umiliato e quella frase cambiò il mio modo di fare il regista. Da quel momento cercai di capire l'attore, e allora il teatro divenne realmente affascinante, diventava un gioco di biliardo, un gioco di psicologia strepitoso.

C'era l'attore A al quale potevi dire la cosa direttamente, l'attore B al quale gliela dovevi dire sotto metafora, l'attore C al quale dovevi non dire quella cosa ma dirgliene un'altra, come il gioco di sponda nel biliardo, perché tanto gli sarebbe arrivata l'intenzione lo stesso.

Questa era la parte più affascinante, quella della creazione a tavolino e quella delle prime prove in piedi. Poi, nel momento in cui lo spettacolo andava in scena, non mi interessava più di tanto.

Non credo di avere assistito che a una o due prime, ma solo per curiosità, per sapere come reagiva il pubblico.

Un altro aspetto interessante della regia era la scoperta del testo, perché, col progredire delle prove, i personaggi cominciavano ad alzarsi dalla pagina scritta e cominciavano a prendere forma, vita, cominciavano a camminarti per casa.

Me la sono portata dietro questa sensazione, facendo lo scrittore. Fin quando un personaggio non è in grado di alzarsi dalla pagina e cominciare a camminarmi per la stanza, quel personaggio, secondo me, ancora non è risolto.

Il rapporto con Orazio Costa

Nella prima lezione di regia con Costa cominciammo a studiare il *Filottete* di Sofocle, e Orazio disse:

"Noi prendiamo la traduzione Romagnoli però ci portiamo dietro il testo greco e il vocabolario greco, così via via riscontriamo la traduzione".

E così cominciammo a studiare questo testo e fin dal primo minuto mi resi conto che lui aveva una capacità di penetrazione che io neanche mi sognavo. Non solo, nel contempo mi forniva, da vero maestro, i mezzi perché arrivassi alla stessa capacità di penetrazione del testo.

Mi ricordo che un giorno cominciò ad andare così a fondo alle diverse interpretazioni possibili, che io gli dissi:

"Dottore, se lei continua a grattare così questo testo, finirà col fare un buco sulla pagina, perché oltre non si può andare".

Ecco, questa era la cosa che più di tutte mi affascinava di Orazio, prima ancora della sua capacità di trasferimento all'attore di ciò che lui voleva. E questa poi era una dinamica molto complessa.

Ma la lettura del testo, la capacità di lettura critica e come, all'interno di varie possibilità, scegliere la strada maestra per l'interpretazione di quella regia... in questo Costa era un vero maestro.

Orazio umanamente era un uomo gelido, e a questo proposito voglio raccontare un episodio. Dopo un mese che io tutte le mattine stavo con lui, verificai che quest'uomo era un pezzo di ghiaccio. Anzi devo dire che forse una lastra di ghiaccio avrebbe avuto reazioni più umane di quelle che aveva Orazio.

Siccome io concepisco i rapporti umani in un altro modo, decisi che me ne sarei andato dall'Accademia. Dopo soltanto un mese, non ce la facevo più. Mi davo all'alcol: la mattina, prima di andare a lezione, bevevo due grappini, uno appresso all'altro, per affrontare il freddo polare della banchisa Costa.

Un giorno mentre ero in tram incontrai Mario Ferrero, che era stato allievo fino al terzo anno dell'Accademia, e l'avevano tenuto al quarto anno per fargli mettere in scena il saggio di diploma degli allievi di recitazione. Mi disse:

"Come ti trovi con Orazio?".

E io:

"Mi trovo malissimo. Guarda, mi sa che io vado giù per le vacanze di Natale e non ritorno più, non ce la faccio a vivere con un iceberg. Non ce la faccio...".

Passarono due giorni, squillò il telefono della stanza dove abitavo e una voce con un accento molto francese mi disse:

"Lei è il signor Camilleri? Sono la signora Costa, le vorrei parlare...".

Mi diede l'indirizzo: viale Parioli 10. "Venga domani pomeriggio alle quattro, che mio figlio non c'è."

Io l'indomani alle quattro, puntualissimo, bussai alla porta di viale Parioli 10. Mi aprì una vecchia signora che immediatamente mi disse:

"Si accomodi. Mario mi ha detto che lei avrebbe intenzione di lasciare l'Accademia. Le dico subito che se lo facesse darebbe un grossissimo dispiacere a mio figlio".

"Signora," dissi, "guardi, non credo di dargli nessun dispiacere perché non ha con me nessun rapporto di amicizia."

"No, non è vero," rispose. Mi convinse a restare ed ebbe ragione, perché devo dire che poi diventammo amici, al punto che veniva a passare le vacanze con me e con la mia famiglia anche dopo che lasciai l'Accademia.

Quando diventammo tutti e due un po' anziani mi disse:

"È possibile che tu non riesca a darmi del tu?".

"Non ci riesco," dissi, "dottore, non ci riesco."

Lui era credente, era, come lo definì brillantemente Ruggero Jacobbi, un Cristo-Maoista.

Era un uomo di estrema sinistra e fervidamente credente. L'ultima volta che ci siamo visti, ci siamo incontrati al Teatro Eliseo, e mi disse:

"Andrea, perché noi siamo così, due vecchi cretini?".

"E perché siamo cretini, dottore?"

E lui:

"Perché stiamo andando 'all'árbori pizzuti' (che sarebbe, come dicono a Roma, il cimitero) e ci vediamo sempre meno, invece dovremmo vederci sempre di più in questi ultimi giorni, i pochi che ci restano".

E io:

"Dottore, vabbè non si preoccupi, ci incontreremo in qualche altro posto lassù".

Impallidì.

"Non mi dire che sei diventato credente, perché io lo sono sempre meno. Finiremo col non incontrarci lassù."

Questo è l'ultimo ricordo che ho di Orazio Costa.

Quando lui andò via dall'Accademia di Arte Drammatica, designò me come insegnante di regia al suo posto. Certo fu un grande onore, designò me che ero stato, fra tutti, l'allievo meno fedele.

Il teatro di ricerca

Il primo contatto con il teatro innovativo francese mi capitò una notte a Fregene.

Io e il mio amico Gigi Vannucchi, l'attore, eravamo stati invitati ad una festa dove ci stavamo annoiando mortalmente. Ci mettemmo a girellare per la casa dei nostri ospiti e, curiosando tra suppellettili e pubblicazioni, scoprimmo una rivista francese che trattava argomenti teatrali, "L'Arbalète". Cominciammo a sfogliarla e, arrivati a un certo punto, incappammo in un atto unico che s'intitolava *Les bonnes*, ed era firmato da Jean Genet.

Di Jean Genet ne sapevo qualche cosa, anche se allora non era stato ancora pubblicato in Italia.

Ci mettemmo a leggere questo testo e ne restammo così affascinati che, come un sol uomo, saltammo dalla finestra, naturalmente con la rivista sotto il braccio, e ce ne tornammo a Roma. Poi a casa di Vannucchi continuammo la lettura fino all'alba, restandone tramortiti.

L'indomani stesso decidemmo di scrivere a Jean Genet, e lo facemmo presso la rivista, dicendogli:

"Noi vorremmo tradurre il suo testo, ci dia il permesso, siamo due giovani...".

Quasi a giro di posta ci arrivò la risposta di Genet:

"D'accordissimo, fate pure la traduzione, cercate di piazzarla meglio che potete, fatevi dare più soldi che potete che poi, quando vengo a Roma, dividiamo...".

Cominciamo a fare questa traduzione e la mandiamo a "Sipario", a "Scenario", a "Il dramma", insomma a tutte le riviste di teatro che c'erano in Italia, e tutti si rifiutano di pubblicarla.

Una mattina squilla il mio telefono e una voce romanesca fa:

"Tu sei Camilleri?".

"Sì."

"Aspetta, che ti passo 'Gian Genette'."

Era Jean Genet che era a Roma, alloggiava al Grand Hotel e ci dava appuntamento a mezzogiorno.

Io telefono eccitatissimo a Gigi, ci prepariamo, arriviamo a mezzogiorno in punto al Grand Hotel e lì ci vediamo venire incontro un signore con il setto nasale rotto e degli occhi di un azzurro, di un azzurro tale, che non ho mai più visto in nessun altro. Degli occhi di un innocente azzurro. La prima cosa che ci dice è:

"Che bello essere giovani... Ma voi due siete pederasti?".

"No!!" rispondemmo in coro.

"E allora perché vi occupate della mia opera?"

"Perché lei è un grande scrittore."

"Ma lo credete davvero o mi state prendendo in giro?"

Questo è stato il primo incontro con Jean Genet.

Abbiamo passato una giornata e una notte memorabili, perché lui era pieno di soldi, era pieno di soldi perché aveva truffato quattro editori, Gallimard, Julliard, Flammarion e un altro che non ricordo, dicendo a ognuno di loro che stava scrivendo un romanzo intitolato *Eliogabalo*.

"Figurati, un romanzo *Eliogabalo* scritto da me... Se lo sono comprato a scatola chiusa e quindi mi hanno dato tutti gli anticipi che ho qui..." (mostrando il portafoglio).

"Ma lo scriverai il romanzo?"

"Mai. Figurati se mi metto a scrivere un romanzo intitolato *Eliogabalo*, e poi c'è stato già chi lo ha scritto."

Mi ha fatto un regalo, il copione di regia di Louis Jouvet, che aveva messo in scena *Les bonnes* a Parigi.

Nel copione c'erano le note di regia, appunti che Jouvet prendeva a matita, man mano che andavano avanti le prove, ma in più, nella pagina bianca del copione, c'erano gli schizzi dei costumi e della scena di Christian Bérard, che era il maggior scenografo e costumista di quel periodo.

È stata una giornata meravigliosa.

Il Teatro dell'Assurdo

Il mio amico Luigi Candoni, che era un friulano, a cui piaceva moltissimo il teatro e in più scriveva commedie, decise di realizzare un festival dell'avanguardia. Decide quindi di fare un viaggio a Parigi, per vedere che cos'era questo Teatro dell'Assurdo di cui tanto si parlava.

In particolare sceglie: Ionesco, Beckett e Adamov, e arriva con tre testi e il permesso di rappresentarli in Italia. Uno era *Come siamo stati* di Adamov, l'altro era *Finale di partita* di Beckett, che lui traduce, e il terzo era *La lezione* di Ionesco. Gli spettacoli si sarebbero tenuti al Teatro dei Satiri di Roma.

Io comincio a provare *Come siamo stati* di Adamov. Mentre sto provando, al quinto, sesto giorno di prove, il portiere del teatro mi chiama:

"Ce so' du' francesi che te vonno parlà...".

Interrompo la prova.

"Chi sono questi due francesi?"

Era inverno, pioveva, faceva freddo, davanti a me si presenta un signore con i sandali; l'altro invece era un giovane piuttosto distinto. Il primo, quello con i sandali, aveva gli occhi, come diciamo in Sicilia, "spiritati" e i capelli tutt'altro che pettinati. Si avvicina e mi fa:

"Je suis Arthur Adamov".

Era passato, per caso, davanti al teatro, aveva visto il suo nome nella locandina e si era incuriosito, e in quell'occasione mi presenta anche il suo amico Bernard Dort. Dort era il maggiore giovane critico dell'avanguardia francese. I due non solo assistettero alle prove, ma rimasero fino alla prima con grande soddisfazione.

Io mi legai di grande e profonda amicizia con Adamov. Un giorno mi comunicò che voleva stare un mese in Italia, si fece raggiungere dalla sua donna che lui chiamava... "il bisonte" (detta così non certo per l'aspetto fisico, perché era una donna splendida. Il bisonte perché era capace di resistere a lui, ad Arthur Adamov), e mi disse:

"Voglio andare in una città italiana che sia assolutamente comunista".

"Arturo, vai a Livorno."

Arturo se ne andò a Livorno, stette un mese e da lì mi scriveva lettere illeggibili, perché le lettere, che conservo accuratamente, non partono dall'alto a sinistra, ma dal basso a sinistra e procedono circolarmente all'interno della pagina, offrendo una qualche difficoltà al lettore.

Quando, a distanza di tempo, io incominciai a provare *Finale di partita* di Samuel Beckett, lui venne alla prima, apposta da Parigi, accompagnato ancora una volta da Bernard Dort, e quella sera stessa telefonò a Beckett, con cui erano amici, e gli disse che era la migliore regia di quel testo che aveva visto.

Fino a quel momento aveva visto quella di

Roger Blin in Francia e quella di Devin in Inghilterra.

Mi passò Beckett e io balbettai qualche parola con il signor Samuel Beckett.

Poi successe una cosa curiosissima. Quando misi in scena il secondo lavoro di Beckett, *Tutti quelli che cadono*, non arrivò in tempo il permesso della Siae.

Allora, con un po' di imbarazzo, telefonai a Beckett.

"Sono il regista che ha messo in scena *Finale di partita* a Roma... Sono in queste condizioni..."

"Vada pure in scena e riceverà immediatamente un telegramma."

Così fu. Ricevetti il telegramma dal suo avvocato e siamo andati in scena tranquillamente.

Molti anni dopo la Rai decise di realizzare in televisione *Finale di partita*. Beckett si oppone perché ha due lavori che non voleva fossero fatti nello studio televisivo: *Aspettando Godot* e *Finale di partita*. Allora dall'ufficio Diritti d'Autore della Rai (io dovevo fare la regia), mi dicono: "Non c'è il permesso".

Allora telefono ancora una volta a Beckett e gli dico:

"Sono lo stesso regista che ha messo in scena dieci anni fa...". Ottenni il permesso per due passaggi soltanto e così ho realizzato *Finale di partita* con Renato Rascel e Adolfo Celi.

Questa è stata la mia "amicizia" telefonica con Samuel Beckett, che non ho mai conosciuto.

Grande invece fu l'amicizia con Arthur Adamov, e grande il dolore che ho provato quando ho saputo che si era suicidato, alla fine del "Maggio Francese". Forse sperava che quel maggio fosse anche suo.

La radio e la televisione

Il mio rapporto con la Rai è una storia lunga e tormentata, all'inizio. Io avevo tentato di fare il funzionario, partecipando al concorso che era stato indetto nel '55; eravamo diecimila, c'erano gli scritti e gli orali. Agli orali ne ammisero soltanto trecento, facendo una sorta di epurazione, e tra questi ammisero anche me. Mi recai a svolgere l'esame dove presidente della Commissione era Mario Apollonio, noto storico del teatro, e vicepresidente Pier Emilio Gennarini, altissimo funzionario della Rai. Alla fine di questo colloquio, durato parecchio, il presidente della Commissione mi disse:

"Continueremo questo bel discorso a Milano, dove è stato ammesso a partecipare al corso di formazione".

Dopo un paio di giorni mi telefonò Orazio Costa e mi disse:

"Vuoi venire a farmi da aiuto per *Processo a Gesù* di Diego Fabbri al Piccolo Teatro di Milano? Mi hanno dato un aiuto argentino con cui non vado d'accordo".

"Dottor Costa, non so, ho fatto questo concorso in Rai... Mi chiameranno a giorni e quindi non credo di poter prendere questo impegno..."

Passano sette, otto giorni, mi richiama Costa e mi dice:

"Non credo che le cose vadano come pensi tu...".

Infatti chiamano tutti tranne me.

C'erano gli ultimi dieci giorni di prove di *Processo a Gesù*. Vado a Milano e aiuto Costa in quest'ultima parte delle prove e in quella circostanza ho l'occasione di conoscere il commediografo Diego Fabbri.

Una sera che eravamo a cena, Orazio tira fuori il discorso della mia ammissione al concorso in Rai. E Fabbri:

"Adesso chiamo Gennarini, lo invito a cena per domani e glielo chiediamo".

L'indomani si presenta il povero Gennarini e gli viene brutalmente chiesto:

"Perché non avete preso Camilleri?".

"È una cosa spiacevolissima, lui come merito era uno dei primi, ma poi abbiamo avuto informazioni politiche, abbiamo chiesto ai carabinieri e non ce la siamo sentita." E poi rivolgendosi verso di me:

"Spero che lei non voglia fare propaganda di quello che le ho detto".

Fine del discorso.

Nel 1958 vado a fare una regia al Teatro Donizetti di Bergamo. Torno e mia moglie mi dice:

"Ti ha telefonato Lupo".

Ora, io avevo lavorato con Alberto Lupo, ed era l'unico Lupo che conoscevo. Piglio e telefono ad Alberto.

"Albè, che volevi?"

"Non sono stato io a chiamarti."

Allora, non conoscendo altri "lupi", mi dissi: "Richiamerà!".

Dopo due giorni, richiama. Fortunatamente ero a casa e quindi vado io al telefono:

"Sono Cesare Lupo, direttore del Terzo programma, vorrei parlarle".

Mia moglie, incuriosita, mi dice:

"Chissà cosa vuole da te".

"Vorrà farmi fare qualche regia alla radio. Ben venga."

Ma il discorso che mi fa Lupo è completamente diverso. Mi dice:

"La funzionaria addetta alla prosa del Terzo programma è in trattamento di maternità, la signora Lidia Motta. Lei la dovrebbe sostituire per sei mesi".

"Va benissimo!" rispondo io.

"Quindi le facciamo un contratto a sei mesi e poi vediamo."

E così ho cominciato a sostituire la dottoressa Lidia Motta nel realizzare i programmi di prosa per la Rai.

Mi diedero un tavolo. Aprii il primo cassetto e mi accorsi che era pieno di appunti e anche d'insulti verso gli estensori del parlato culturale, come si chiamavano allora.

"Di chi era questo tavolo?" chiesi.

"Di Carlo Emilio Gadda."

E quindi, mi trovai a lavorare sul suo tavolo.

Era una bella équipe quella che faceva il Terzo programma, non c'era dubbio.

Se non che, la televisione decise di aprire il

secondo canale, che alle origini doveva essere il canale culturale. I direttori e gli alti funzionari di questo nuovo canale erano tutti quelli che costituivano la redazione del terzo canale radio (Angelo Romanò, Mario Motta, Fabio Borrelli...) tutti in blocco e mi chiesero di andare a lavorare con loro. Andai da Cesare Lupo:

"Dottore, mi vogliono per questo nuovo canale. Io ci passo volentieri in televisione".

"No, io non la lascio andare se non mi trova un degno sostituto."

Allora mi venne in mente che quella era l'occasione buona per ricambiare il grande favore che mi aveva fatto Sandro D'Amico. Ero senza una lira e cacciato fuori dall'Accademia e Sandro mi aveva detto:

"Vieni a lavorare all'Enciclopedia dello Spettacolo, prima come collaboratore e poi come redattore".

Così indicai il suo nome a Cesare Lupo.

Passai alla rete televisiva, ma come produttore; la prima produzione che mi venne affidata era una produzione da trattare con le molle. Mi chiamò Bernabei e mi disse nel suo toscano esemplare:

"Oh, guardi che non deve succedere nulla in studio. Deve tutto filare alla perfezione".

Era la prima produzione televisiva di Eduardo De Filippo. Era importantissimo, Eduardo, era il primo intellettuale di sinistra che decideva di collaborare con la Rai, notoriamente democristiana. Questa prima produzione con Eduardo De Filippo andò splendidamente e diventammo amici, amici veramente.

Così cominciai a produrre altre cose, e una delle più grosse produzioni è stata *Le inchieste del commissario Maigret* con Gino Cervi e la regia di Mario Landi, che è andata avanti per anni.

Successivamente ho cominciato a fare il regista anch'io.

Ma naturalmente l'amore per la radio, perché mi piaceva la parola, continuò, e quindi venni chiamato da Sandro D'Amico e Lidia Motta a fare delle regie radiofoniche.

Ne ho fatte oltre mille, e per la radio ho anche scritto.

Capitò che Lidia Motta e Sandro D'Amico si inventarono quella meravigliosa cosa che sono state *Le interviste impossibili*. In quell'occasione mi chiesero di scriverne due. L'ufficio personale della Rai disse:

"No, una sola ne può scrivere".

"Ma io ne avrei già scritte due."

"Allora ne registra una sola."

Bompiani, quando ha pubblicato *Le interviste impossibili*, ha inserito anche le mie due, ma solo di una esiste una realizzazione radiofonica, l'altra non è stata mai registrata.

In quell'occasione ho fatto anche molte regie di quella serie e fu divertentissimo perché gli autori delle interviste erano anche i co-protagonisti.

E quindi ho collaborato con Umberto Eco, Sanguineti, Portoghesi...

In radio ho fatto anche molta sperimentazione.

Sono stato il primo a realizzare una registrazione stereofonica di prosa.

Ho ripreso al Teatro Greco di Siracusa Vittorio Gassman, che lì faceva la trilogia di Eschilo, passando nottate intere di dannazione ed esaltazione, dannazione perché ogni piccolo rumore (un aereo che partiva da Catania, un peschereccio che passava...) ci costringeva a fermarci e riprendere, ma poi il risultato fu straordinario.

Ho fatto cose bellissime alla radio, e lì ci ho lasciato il cuore.

L'incontro con Leonardo Sciascia

I miei rapporti con Sciascia iniziarono mentre io ero ancora in televisione come produttore. Non lo conoscevo di persona e gli scrissi una lettera per chiedergli di scrivere uno sceneggiato sul primo delitto di mafia dentro il quale la politica era entrata in pieno, che capitò all'inizio del Novecento, l'assassinio del presidente del Banco di Sicilia (Emanuele Notarbartolo, *N.d.C.*) avvenuto in treno, e per il quale ci furono anche onorevoli che andarono a finire sotto processo.

Lui mi ringraziò per iscritto, ma disse:

"Amico mio, io, per scrivere uno sceneggiato di questo tipo, devo perdere anni di ricerche e quindi non me la sento".

E di conseguenza non se ne fece niente. Poi ci siamo conosciuti casualmente in Sicilia, ma ci frequentavamo saltuariamente, dandoci un lei reciproco e molto formale.

Poi lui scrisse *Il giorno della civetta*, che venne ridotto per il teatro da Giancarlo Sbragia che doveva anche metterlo in scena. Ma Sbragia non poteva e allora il Teatro Stabile di Catania decise

70

di acquisirlo e di realizzarlo e chiamarono me per la regia.

Io in quel periodo stavo realizzando, a Palermo, la messa in scena de *La favola del figlio cambiato*, e lì ebbi una serie di incontri con Sciascia per discutere su come mettere in scena il suo testo. Nelle pause scappavo a Catania per coordinare la regia de *Il giorno della civetta*, la distribuzione, le scene, le prime prove a tavolino...

Per una serie di circostanze mostruose, capitò che *La favola del figlio cambiato* ritardò l'andata in scena di quindici giorni e quindi non avevo la possibilità di fare la regia al Teatro Stabile di Catania.

Chiamai Mario Landi per farmi sostituire. Ne venni eternamente rimproverato da Sciascia, che mi accusava di avere preferito Pirandello alla sua opera. Nonostante questo, inspiegabilmente diventammo simpatici l'uno all'altro.

Stavo lavorando intorno ad una cosa che avevo saputo: nella torre di Carlo V, al mio paese, c'era stato un eccidio nel 1848, quando in una sola notte avevano fatto fuori 114 persone. Cercavo disperatamente dei documenti, quando un mio carissimo amico mi trovò 114 atti di morte, avvenute tutte nello stesso luogo, nella stessa notte, con le stesse modalità. Quell'elenco era un documento straziante.

Chiesi a Sciascia di venire a prendere un caffè con me:

"Leonardo, ti do questi documenti, per favore scrivici sopra qualcosa".

Lui aveva cominciato a collaborare con la Sellerio. Dopo una settimana mi chiese di venire a trovarmi a casa.

"È importantissimo questo documento, ma perché vuoi che ne scriva io?"

"Per un motivo molto semplice, perché tu hai già scritto cose di questo tipo."

"Ma perché non lo scrivi tu?"

"Perché, come lo scrivi tu, io non saprei scriverlo."

"Ma perché lo vuoi scrivere come lo scriverei io, scrivilo come lo scriveresti tu."

"Sì vabbè, Leonardo, ma dopo che l'ho scritto a chi lo diamo?"

"Ti presento Elvira Sellerio."

Io scrissi *La strage dimenticata*, a lui piacque, scrisse il risvolto di copertina e mi presentò Elvira Sellerio.

L'amicizia con Leonardo

Eravamo diventati amici e avevamo spesso delle discussioni feroci.

Lui era di un anticomunismo viscerale, quasi infantile, e a me divertiva, a volte, provocarlo per vedere come un uomo di così lucida intelligenza potesse accartocciarsi su se stesso solo per un viscerale e irrazionale rifiuto.

Con lui, una volta mi capitò una cosa che vale la pena di raccontare. Un giorno mi dice:

"Cammillè..." – mi chiamava Cammilleri con due m, e non c'era verso di farmi chiamare Camilleri con una m sola – "Cammillè, mi dai un tuo racconto perché voglio pubblicarlo in un'antologia di scrittori siciliani".

"Leonardo, io tre racconti soli ho scritto fino ad ora, te li do tutti e tre, scegli tu."

Mi chiama dopo qualche giorno e mi dice:

"Mi piace il racconto intitolato *Capitan Caci*, non lo dare a nessuno che lo pubblico io".

Dopo circa una settimana, un mio amico magistrato, Antonio Suriano, di cui parlerò dopo, mi dice:

"Ho letto un libro bellissimo di Jorge Amado,

si intitola *Due storie del porto di Bahia*, dovresti leggerlo".

Lo leggo e allibisco perché due episodi raccontati da Amado sono esattamente uguali nel mio racconto *Capitan Caci*. La cosa era inspiegabile, io non avevo letto il libro di Amado e lui certamente non aveva letto il mio racconto.

Mia moglie sostiene: "Forse, visto che sono storie di marinai, probabilmente le avete sentite tutti e due e le avete riciclate".

Chiamo Sciascia e gli dico che non posso pubblicare il racconto perché tutti potrebbero dire che ho plagiato Amado. E così finì.

Un po' di tempo dopo, capitò che trovai tre paginette ne *Il mare colore del vino* che si intitolavano *Western di cose nostre*, e pensai che quello poteva essere un grandissimo sceneggiato televisivo.

Gli chiesi il permesso e lui mi disse di farne quello che volevo, così io coll'amico Antonio Suriano, che si firmava Saguera e che era stato lo sceneggiatore di Bondarchuk ne *I dieci giorni che sconvolsero il mondo* sulla rivoluzione russa, sceneggiammo tre puntate di un'ora da queste tre paginette.

Mi fa piacere dire due parole su Antonio Suriano ed è sufficiente, per questo, raccontare il suo funerale. Lui morì da procuratore generale, per un incidente stradale, e al suo funerale, sul lato destro del luogo dove si officiava la cerimonia, c'era tutto un mondo in doppio petto di magistrati e procuratori, sul lato sinistro un mondo di bari, delinquenti, attori, produttori cinematografici. Un mondo variopinto, una divergenza che rappresentava le due vite di Ninì Suriano.

Durante la stesura della sceneggiatura, io ero terrorizzato e ogni tanto chiamavo Leonardo Sciascia per dirgli:

"Guarda, mi sto inventando questa cosa. Ti va bene?".

"No, figlio mio, tu ti mittisti 'nta 'sti lazzi e tu risolvi la cosa..."

"Ma tu cosa pensi? Perché quello agisce in quel modo?"

"Non te lo so dire! Io l'ho fatto agire così."

Alla fine lo facemmo e venne fuori l'ultima, bellissima interpretazione di Domenico Modugno, che poi non poté più lavorare per motivi di salute.

Lo sceneggiato ebbe molto successo. Quando mi chiesero in un'intervista in cui c'era anche Sciascia: "Come ha fatto a tirare fuori tre ore di sceneggiato da tre pagine?", io risposi che il racconto di Sciascia era un dado Liebig, basta scioglierlo per farne un brodo.

E lui commentò: "Sì, ma il brodo bisogna saperlo fare, e lui c'è riuscito". Considerato il suo mutismo, era un elogio altissimo.

In quell'occasione mi invitò a pranzo. Mangiai cose di una squisitezza inimmaginabile e alla fine del pranzo non potei fare a meno di dire a sua moglie:

"Signora mi complimento, perché ha cucinato delle cose divine".

La signora sorrise e ringraziò. Ad un certo punto Sciascia si allontanò un attimo, e lei:

"Non ho cucinato io, è lui che da stamattina alle cinque sta in cucina, ma non vuole che si sappia che gran cuoco che è".

La musica e il jazz

Il mio rapporto con la musica è un rapporto problematico, credo di avere pochissimo orecchio e di essere stonato come una campana. Sono una delle poche persone che non cantano sotto la doccia perché mi vergogno di me stesso.

Sono stato espulso dal coro quando ero bambino, perché non attaccavo a tempo, arrivavo tre secondi dopo. Insomma, una vergogna inaudita.

Ma la mia rivelazione legata alla musica avvenne verso i 12 anni, quando mi capitò di sentire, in quei fonografi a manovella, un pezzo jazz. Si intitolava *Tiger Rag* ed era uno standard, come seppi dopo, molto importante per la musica jazz.

Sentii che capivo tutto, quella musica mi penetrava profondamente. Seppi che si chiamava musica jazz e cominciai a cercare dei dischi che francamente non era facile trovare. Ne trovai qualcuno, poi finalmente trovai i dischi dell'Hot Club de France di Django Reinhardt.

C'era una facciata che si intitolava – poi negli anni seguenti l'ho sentita in moltissime edizioni – *Sweet Georgia Brown*. E fu ascoltando e riascoltando *Sweet Georgia Brown* che riuscii a scrivere il primo racconto della mia vita, intitolandolo proprio *Sweet Georgia Brown*, in omaggio a questo disco che mi aveva suscitato tali e tante emozioni da permettermi di scrivere, non tanto una poesia, cosa per me abbastanza facile, ma un racconto.

Da allora ho sempre seguito il jazz, fino al punto di poter correggere eventuali errori presenti sulle etichette dei dischi – "No, la tromba non è di... come è scritto sull'etichetta...". Ma poi, via via, questa capacità me la sono persa con gli anni.

Naturalmente mi sono appassionato alla musica moderna e di conseguenza ho fatto regie di spettacoli di musica contemporanea. Amo Alban Berg, lo risento abbastanza frequentemente, e continuo a sentire qualche disco jazz.

Ma volevo ricordare *Tiger Rag*, uno standard che amavo molto. Nel 1939 lessi sul "Giornale di Sicilia" che a Palermo ci sarebbe stata l'orchestra Strappini, che era l'unica in Italia che allora facesse del jazz vero e proprio. Allora presi il treno per andare a sentire questo concerto a Palermo. Eravamo poche persone in sala, dopo qualche minuto d'attesa cominciò a suonare l'orchestra Strappini, non era a livello dei dischi che sentivo abitualmente, però, porca miseria, faceva del buon jazz. Alla fine del primo tempo il maestro Strappini si rivolse all'esiguo pubblico e disse:

"Stasera c'è in sala un italo-americano, jazzista famoso, che ha scritto un pezzo fondamentale per la storia del jazz, *Tiger Rag*. Si chiama Nick La Rocca, è venuto a Palermo per salutare i suoi parenti siciliani e stasera suonerà con noi questo brano".

Nick La Rocca, cinquantenne, salì sul palco,

prese il clarino e si portò dietro l'orchestra, che suonò appresso a lui come mai li avevo sentiti suonare.

Mi capitò alla fine un fenomeno strano. Andavo verso l'albergo e arrivato alla fine di piazza Pretoria, dove, intorno alla fontana, ci sono delle statue di donne e uomini nudi, ad un certo punto ero così ubriacato da quella musica, che mi parve davvero che quelle statue si mettessero a ballare al ritmo di *Tiger Rag*, che io portavo dentro di me.

L'amore e altri incontri

Parlare dell'amore per un uomo che ha più di ottant'anni, significa in realtà fare dei consuntivi, e i consuntivi sono delle voci di cui, forse, è bene omettere i dettagli.

Sono sinceramente stupito dalla capacità di amare che ognuno di noi ha, che ognuno di noi possiede. A me è capitato che dopo essermi sposato, ho detto a me stesso: "Non riuscirò forse mai più ad amare un'altra persona al mondo come sto amando mia moglie".

Poi, è nata la prima figlia. Un amore così intenso, così struggente, che ho detto: "Povera infelice, se viene una seconda figlia o un secondo figlio".

E invece sono venuti, e l'amore è stato diverso, ma di pari intensità. Poi sono arrivati i nipoti e lì è stato un amore ancora diverso, completamente, ma altrettanto intenso.

Io penso che se diventassi "catanonno", come diciamo in Sicilia, credo che troverei ancora un nuovo tipo d'amore verso i pronipoti. Credo che sia una tale forza per l'uomo, una tale ricchezza, che va continuamente rinnovata.

E poi, a parte l'amore, nella vita ci sono degli incontri affascinanti che si hanno, con uomini e con donne. Io me ne ricordo uno durato poche ore, ma che mi è rimasto impresso per sempre. È capitato nel '48 o nel '49.

Ero in un bar di Roma, seduto, stavo bevendo un cappuccino e c'era una signora anziana che cominciai a guardare intensamente perché mi ricordava mia nonna. La guardavo, e devo averla guardata tanto che, questa signora, avrà sentito pesare su di lei il mio sguardo. Si è voltata, ha visto il mio sguardo e mi ha sorriso.

E allora è successa questa cosa straordinaria.

Io sono timido, nonostante questo ho trovato il coraggio di alzarmi e andare da lei.

"Posso sedermi al suo tavolo?"

"Ma si immagini."

E cominciammo a chiacchierare. Ero affascinato da questa vecchia signora, e arrivati ad un certo punto mi disse il suo nome.

Era Angelica Balabanoff, una delle maggiori rivoluzionarie del socialismo italiano. Una vecchia signora con un passato incredibile. Quello, per esempio, è stato un incontro affascinante, proprio perché è scattato prima il fascino, scattato prima che io sapessi chi era.

Ora, io certe volte devo confessare che forse, non per il mio mestiere di scrittore, non perché devo raccogliere il materiale (il materiale non si raccoglie), rimango affascinato da persone mai viste prima, che incontro in autobus, in tram, al mercato, in tabaccheria, per come si muovono, per quello che dicono.

Sono attimi che nascondono la prismatica realtà dell'uomo, così diversa. È questo che costituisce il fascino, quello vero, quello della conoscenza dell'uomo.

Cominciare a pubblicare

Arrivato a un certo punto, mi cominciai a stancare di fare il regista o lo sceneggiatore, cioè di raccontare le storie d'altri con parole d'altri. Volevo raccontare una storia mia, con parole mie.

Cominciai a pensarci seriamente e la cosa curiosa è che fino a quel momento io, negli anni giovanili, avevo scritto poesie e brevi racconti ma mai mi era venuta l'idea di un romanzo. Chissà perché mi venne proprio l'idea di scrivere un romanzo.

Ci pensai a lungo, devo dire, prima di scriverlo, perché dovevo affrontare il problema del linguaggio, di trovare una mia voce personale. La trovai, o almeno credetti di averla trovata.

La scrittura di questo romanzo subì un certo ritardo, perché mio padre si ammalò e andò a finire che, questo romanzo, in parte lo raccontavo, nella camera della clinica dove stavo vicino a mio padre, e in parte, nottetempo, lo scrivevo lì. Lo finii nel '68.

Una volta finito, non avevo il coraggio di mandarlo alla persona a cui avrei dovuto mandarlo.

Questa persona era Niccolò Gallo, un grandissimo critico, amico mio.

Poi, spinto da mia moglie, decisi di inviarlo.

In quel periodo, con Niccolò, ci telefonavamo almeno una volta ogni quindici giorni. Passarono invece quattro mesi senza notizie di Niccolò Gallo. Allora, terrorizzato, mi decisi a scrivergli una lettera. "Niccolò guarda, io preferisco mantenere la tua amicizia, se non mi chiami perché il libro non ti è piaciuto, butta il libro e non ne parliamo più."

Mi telefonò il giorno dopo, dicendomi:

"Vieni a casa mia, ti voglio parlare subito".

A casa sua, c'era il mio manoscritto e accanto una pila di fogli: tutte le sue annotazioni. Mi disse:

"Tu non hai coraggio, ti manca il coraggio. Tu hai intravisto un linguaggio, però ti spaventi a spingere il pedale fino in fondo. Io qui ti ho scritto alcuni suggerimenti, ma comunque facciamo così: io il libro te lo faccio pubblicare così com'è da Mondadori, però ti devi mettere in fila. Un anno, un anno e mezzo di attesa".

Lui era, in quel periodo, il direttore editoriale di Mondadori.

"Va bene," dissi, "Niccolò ti ringrazio, non c'è problema."

Mi diede i suoi foglietti d'appunti che io conservai gelosamente.

Ma, come dice Gadda, Niccolò "provvide a rendersi defunto" nel giro di poco tempo, dopo un anno e qualche mese, e quindi io verificai che alla Mondadori nessuno sapeva di questo libro.

Lo mandai a un altro signore della Mondadori che mi disse:

"È impubblicabile, non si scrive così un romanzo".

A farla breve: l'ho mandato a tutti, credo a tutti gli editori italiani di serie A, B, C e D, salvo quelli a pagamento, perché non mi andava di pagare per farmi pubblicare un romanzo. Ho avuto sempre rifiuti, sempre "no" nel modo più assoluto. Non è che mi dicevano: "Sì, va bene, ma noi siamo pieni d'impegni...". Ma sempre: "No, non ci piace com'è scritto".

Mi rassegnai, d'altra parte non sapevo scrivere diversamente, e così passano dieci anni durante i quali non scrivo nulla.

Nel '78 un mio amico sceneggiatore dice:

"Visto che non te lo vuole pubblicare nessuno, perché non ci facciamo uno sceneggiato per la televisione?".

Lo sceneggiammo, viene accettato dalla televisione, qualche giornale pubblica la notizia e un editore a pagamento, Lalli, mi dice:

"Il romanzo glielo pubblico io, purché lei nei titoli di coda scriva Lalli Editore".

"Va bene."

E mi pubblica il romanzo, che però non ha quasi nessuna distribuzione.

Se non che l'oggetto libro, l'avere tra le mani il libro, fu come levare il tappo a una bottiglia di vino frizzante. Ricominciai a scrivere.

Il secondo romanzo

Il secondo romanzo, *Un filo di fumo*, lo scrissi in otto mesi. D'impeto, dopo che da dieci anni non scrivevo niente. Una volta finito, lo feci leggere a un mio amico critico, Ruggero Jacobbi, che era direttore dell'Accademia Nazionale di Arte Drammatica. Ruggero mi disse:

"Questo romanzo non deve fare la fine del primo". Se lo mise sotto braccio, se ne andò a Milano e lo fece leggere a una scrittrice sua amica di cui si fidava, Gina Lagorio. Dopo pochi giorni, Gina Lagorio mi telefonò dicendomi:

"Questo romanzo mi è piaciuto tantissimo, lo do al mio uomo (che poi da lì a poco avrebbe sposato), che è l'editore Livio Garzanti". Una settimana dopo Livio Garzanti mi chiamò dicendomi:

"Guardi, il suo romanzo lo trovo splendido, glielo pubblico io con la mia casa editrice, la Garzanti; la prossima settimana vengo a Roma, le telefono e ci incontriamo".

La settimana dopo mi telefonò e mi chiese di incontrarci presso il suo albergo, a mezzogiorno.

Io emozionatissimo, era estate, feci in modo di rovesciarmi, dopo che mi ero vestito di tutto punto, la tazza del caffè sul vestito che mi ero appena messo. Non mi restava altro che un vestito blu, quindi indossai questo vestito blu e andai all'albergo. Qui chiesi al portiere dell'editore Livio Garzanti.

Appoggiato al banco c'era uno sciamannato in jeans e camicetta che fece:

"Sono io", battendosi il dito indice sul petto.

"È lei Garzanti?"

"Sì, sono io. E lei è l'autore che si veste di blu per andare a trovare il suo editore."

"Guardi," dissi, "non mi parli di vestirmi di blu perché giro le spalle e me ne vado, mi sono rovesciato la tazza del caffè..."

Così nacque l'amicizia con Garzanti, che è stata una vera amicizia.

Mi dicono tutti che Garzanti sia un uomo con un carattere impossibile, sono in grado di smentire, almeno per i miei rapporti personali con lui.

La montagna e nuove suggestioni

La montagna è un bellissimo problema per me.

Il mio paese, Porto Empedocle, segna un metro e 30 sopra il livello del mare, quindi, per mia natura, la montagna è qualcosa di inconcepibile.

Per anni ho molto ammirato, per esempio, un amico di mio padre che era Maggiore degli Alpini, pur essendo nato a Porto Empedocle. E anche mio padre ho ammirato, perché, poveraccio, aveva fatto la guerra ed era stato a Cima XII, sul Carso. Esperienze terribili. Così per tutta la mia vita ho evitato accuratamente le montagne.

Poi naturalmente uno si sposa, arrivano i figli... "I bambini hanno bisogno di andare in montagna." "Be', andate in montagna e poi io vi raggiungo." E così un certo anno tutta la mia famiglia parte verso una zona che già il nome mi faceva spavento, in quanto mi sembrava un'era geologica, un viaggio nel tempo, Comelico Superiore.

Io, intanto, me ne stavo a Fregene con le scarpette di corda, la camicia, i pantaloncini corti.

Un giorno mi arrivò una telefonata di mia moglie:

"Devi venire assolutamente".

"Ma come faccio a venire? Dov'è 'sto Comelico?"

"A Pozza di Fassa. Arrivi a Bolzano, poi lì c'è un pullman..."

Allora, così com'ero, partii, presi il treno e arrivai a Bolzano. Appena arrivato mi vennero delle piccole vertigini e mi dissi: "Io non ce la farò mai a prendere il pullman".

Chiamai un taxi.

"Mi deve portare a Pozza di Fassa."

"È molto distante, ci sono due ore di macchina."

"Va be', mi dica quanto viene."

Mi portò in questo posto, cominciava a fare notte e salivamo verso montagne incredibili, con una malinconia struggente che mi cominciò a prendere.

Finalmente arriviamo a Pozza di Fassa.

Sul sagrato della chiesa c'erano delle bambine che cantavano canti di montagna ed io mi sedetti sui gradini e scoppiai in un pianto a dirotto. Ad anni 47, piangendo desolato di trovarmi in quel posto.

Ma scoprii la grappa. Quella sera stessa scoprii che avevano della grappa meravigliosa, incredibile. La grappa mi diede tale vigore, che dopo cinque giorni partii da solo, alle sette del mattino, per arrivare a quella che, davanti a noi, era Cima XII.

Cominciai a salire, da solo, con la fiaschetta di grappa. Arrivato a un certo punto, non so come, mi resi conto che si erano fatte le quattro del pomeriggio ed ero partito alle sette del mattino, sempre in salita.

Ero arrivato alle basi delle rocce e naturalmente quelle non le avrei certo potute affrontare. Guardando giù, mi accorsi che non vedevo il paese da cui ero partito: c'era un altro paese, evidentemente avevo fatto un mezzo giro.

Tornai indietro.

Arrivai alle sette di sera che avevano organizzato i soccorsi. Il capo guida, sulla pubblica piazza, mi fece una lavata di capo come mai ne avevo subite nella mia vita, dicendomi che ero un cretino, un imbecille, che se avevo queste belle alzate d'ingegno dovevo avvertire prima, che se avessi preso una storta, lassù, nessuno sapeva dov'ero e non avrebbero potuto cercarmi.

Per farla breve, mi consolai con la grappa.

Quando pagai il conto, io, mia moglie e tre bambine, per quindici giorni, vitto e alloggio, pagai allora 75 mila lire.

Dissi:

"Madonna, è niente...".

"Poi ci sarebbe la grappa," mi dissero.

"Quant'è?"

"120 mila lire."

Il furto della madre

Stefano D'Arrigo l'ho conosciuto – e può sembrare strano – perché mi portò da lui Orazio Costa. Orazio Costa quando aveva letto *Horcynus Orca* era proprio impazzito per questo libro, per il linguaggio, la capacità nella rappresentazione delle immagini... Allora aveva telefonato a Stefano D'Arrigo, che lo invitò a cena. Costa portò anche me, così lo conobbi e diventammo amici. D'Arrigo aveva avuto una questione terribile legata al suo libro, perché il suo editore, prima di Mondadori, voleva che lui facesse una sorta di glossario alla fine, un glossario dei termini dialettali.

"Non lo faccio il glossario!" Tant'è vero che aveva cambiato editore pur di non fare il glossario. Un giorno, Orazio gli disse:

"Sai, Stefano, Andrea ha scritto un bellissimo libro". Era *Un filo di fumo*.

"Oh, fammelo avere, fammelo leggere."

Io gli mandai il libro e... silenzio. Dopo una settimana ci rivedemmo, mi guardò torvamente e mi disse:

"Ma ci hai messo il glossario, alla fine".

Dovetti ricucire un'amicizia, perché l'aveva offeso profondamente il fatto che io avessi messo il glossario e lui no, che io non ero stato forte come lui, nella resistenza al glossario.

Era un personaggio straordinario. Uomo di violente antipatie, verso terzi, improvvise... "Che t'ha fatto? L'hai conosciuto cinque minuti fa, Stefano!"

"No, niente, non lo posso vedere. Lasciatemi fare." E spariva.

Allo stesso modo era anche capace di tantissimo affetto e di grandissimo amore. Lo ebbe nei miei riguardi. Quando gli dettero la cittadinanza onoraria di Messina (lui non era messinese, ma di un paese vicino), e gli organizzarono solenni onori all'Università di Messina, lui volle che Orazio ed io andassimo in Sicilia con lui, cosa che facemmo con estremo piacere.

Dovevo accompagnare mia madre in Sicilia, quindi le dissi:

"Vieni con me a Messina, stiamo due o tre giorni con Stefano D'Arrigo, e poi proseguiamo verso Porto Empedocle".

A Porto Empedocle mamma doveva tornare per raggiungere i suoi.

Colpo di fulmine immediato tra Stefano D'Arrigo e mia madre.

Il secondo giorno che eravamo a Messina, io avevo appuntamento con mia madre nella hall dell'albergo alle dieci, per andare all'Università dove sarebbero cominciate le onoranze per Stefano D'Arrigo.

Chiedo all'uomo della hall:

"Vuole telefonare per favore a mia madre e dirle di scendere?".

Risposta:

"La signora è uscita questa mattina alle sette e mezzo".

Oddio. Mia madre era già avanti negli anni. E poi, non è che ci stava tanto con la testa.

"Ma com'è? È andata via da sola?"

"No, no. Aveva un appuntamento con il signor D'Arrigo, sono usciti assieme."

Vado all'Università, e lì trovo mia madre contentissima.

"Ah, Stefano mi ha fatto girare Messina, poi siamo venuti qui, all'Università, ci hanno fatto tante fotografie, a me e a Stefano abbracciati."

L'indomani, esce sulla "Gazzetta del Sud", il giornale della città, un lungo articolo con una foto che aveva una didascalia: "Lo scrittore Stefano D'Arrigo con sua madre".

Mi aveva rubato la madre.

E perché? Siccome lui era in dissidio con sua madre che abitava a Messina, lui non solo non era andato a trovarla, ma aveva sostituito la sua con la mia.

Questo per dire come fosse Stefano D'Arrigo.

L'insegnamento

In Accademia ho insegnato consecutivamente per diciassette anni; però saltuariamente l'ho fatto per altri due anni in precedenza, in occasione di due assenze di Costa. Quindi ho avuto tantissimi allievi, anche perché non ho insegnato esclusivamente regia, l'ho fatto per la maggior parte degli anni ma, per qualche anno, ho messo in scena anche dei saggi di recitazione.

La classe di regia era composta da due o tre allievi, non di più, e l'insegnante di regia era uno solo, per cui si finiva con l'instaurare un rapporto piuttosto singolare tra insegnante e allievi. Un rapporto di amicizia e di confidenza. Mi ricordo di quanto fossero gelose le mie tre figlie del rapporto che avevo con i miei allievi, maschi o femmine che fossero. In effetti, si finiva con il confondere vita privata e insegnamento in una sorta di comunanza continua.

Poi, ho insegnato per almeno cinque anni al Centro Sperimentale di Cinematografia e lì mi sono inventato una materia che si chiamava "Direzione dell'attore", perché i registi cinematografici avevano difficoltà ad esprimersi con gli attori, a dir loro quello che volevano, e quindi io insegnavo loro le tecniche di comunicazione.

Al Centro Sperimentale di Cinematografia ho avuto molti allievi che ricordo con piacere. Uno, ad esempio, lo ebbi per un certo periodo come allievo attore e mi resi conto presto, con un certo stupore, che era un singolare allievo attore, era un attore che si vergognava a recitare.

Un giorno lo chiamai in disparte e gli dissi:
"Ma tu, ti vergogni a recitare?".
Mi rispose:
"Come un ladro!".
"Ma allora, scusa, perché vuoi recitare?"
"Mah... perché non lo so. In realtà io scrivo. Mi piacerebbe fare il regista."

Lessi le sue prime sceneggiature, le sue prime cose, e l'anno successivo gli feci fare l'esame al corso di regia. Era Marco Bellocchio.

Devo dire una cosa con un certo non celato orgoglio: mi sono rimasti tutti amici. Siamo amici. Ho seguito la loro carriera da una parte e la loro vita privata dall'altra, sempre con affetto. Gioendo dei loro successi e intristendomi se qualche cosa a loro andava male.

Ho molto appreso dai miei allievi, e non è un modo di dire. In un lungo periodo di insegnamento come il mio, ben diciassette anni, finisci con l'avere una sorta di cristallizzazione del pensiero, ti fai un giudizio su un testo, su un autore. E su quello ti fermi. Ma quando ti trovi di fronte ad un allievo regista, che ha trenta o quaranta anni meno di te, che appartiene alla nuova generazione, è intelligente, è preparato, e comincia a dirti le sue idee su quel testo, che non collimano con le tue ma sono assolutamente giustificate e plausibili, allora è come avere un'iniezione di linfa. Ti rinnovi.

Certe mattine, con certi allievi che sapevo più pronti degli altri, mi sentivo un po' Dracula, andavo a succhiare un po' di questo sangue giovane.

Fra tutte le cose che ho fatto e che, ad un certo punto, ho dovuto smettere e mi sono mancate, sicuramente l'insegnamento è quella che mi manca più di tutte.

I viaggi

Per me, l'idea del viaggio in sé, è un'idea estranea, non concepisco che si lascino le proprie abitudini per andare in giro per il mondo. Che scopo c'è? Soprattutto, visto che, via via che passano gli anni, il mondo te lo portano a casa.

Però, arrivati ad un certo punto, viaggiare diventa necessario, metti conto per lavoro; quindi i miei primi viaggi all'estero sono stati tutti per ragioni di lavoro, prima come regista e poi come docente, viaggiando molto. Ma in qualche modo l'idea del viaggio si annullava perché avevo scoperto che, avendo a che fare con gente di teatro, mi trovavo a trattare con persone che in qualche modo erano "della stessa categoria": la pensano tutte allo stesso modo e sono fatte con lo stampino. Quindi non era un vero viaggio quando mi trovavo in un teatro, anche se dall'altra parte del mondo.

Una certa soddisfazione invece l'ho avuta quando mi sono mosso come scrittore, perché in questo caso i rapporti erano molto diversi.

A me, delle città, interessa assai poco, mi interessa poco andare nei musei, vedere i luoghi tipici, mi interessano invece le persone che, quelle città, le vivono.

Quando arrivo in un posto che non conosco, le prime giornate sono dedicate ad incontri che io faccio con le persone, persone che tento di provocare, magari chiedendo in italiano o in francese dove è una certa strada, solo per il gusto di vedere la reazione a quella domanda. Quindi più che altro il viaggiare per me significa conoscere uomini con culture diverse dalla mia, ed è chiaro che questi contatti sono assai produttivi per una persona che è curiosa come lo sono io.

Non sono mai stato, e non mi attira neanche lontanamente andare, negli Stati Uniti. Non so perché. Ho una sorta di rifiuto naturale da sempre.

Ci sono dei paesi nei quali invece, arrivando, mi sono sentito perfettamente a casa mia, e la cosa strana è che sono due paesi completamente diversi. Uno è la Danimarca, l'altro è l'Egitto, Il Cairo.

Degli uomini della Danimarca, pur non parlando la loro lingua, mi accorgevo, attraverso occhiate e sorrisi, che la pensavano come me, su certe situazioni e sulle cose che capitavano. A Il Cairo, la prima volta che ci sono andato, la sensazione è stata più profonda. È stata una stravolgente sensazione di appartenenza.

Arrivai alle undici di sera, lasciai le valigie e me ne andai in giro per la città. Alle due di notte telefonai a mia moglie che stava a Roma, che mi chiese come mi trovavo e io le risposi che mi sentivo a casa mia. Pur non parlando una parola di arabo, avevo ritrovato, in qualche modo, la mia casa.

L'unica volta che ho cercato di viaggiare per diporto, è stato con mia moglie e una delle mie figlie, e siamo andati a Vienna. Naturalmente, visto che era l'unica volta che partivo senza un lavoro da fare, il primo giorno mi annoiai mortalmente, il secondo andai a vedere un po' di quadri di Hieronymus Bosch, e devo dire che, messi in fila, mi divertirono parecchio. Ma arrivato davanti alla *Torre di Babele* di tale Pieter Bruegel mi capitò una cosa curiosissima.

Sentii un maglio cominciare a poggiarsi sulla mia testa e cominciare a spingere violentemente. Capii che stavo male. Tentai di dire a mia moglie "mi sento male", ma non riuscivo ad organizzare il discorso, ad organizzare le parole. E in quel preciso momento esplosi, di sangue.

Quello che era un ictus si interruppe, perché si erano rotte le vene del naso che portavano il sangue al cervello e mi salvai la vita. Venni portato in ospedale e immediatamente curato da un dottore austriaco.

L'unica cosa che mi preoccupò davvero fu il suo cognome inquietante. Si chiamava Angelich Sodoma.

La paura dell'aereo

Il mio rapporto con l'aereo è un rapporto davvero problematico. Io sono un uomo di mare e trovarmi in cielo mi mette davvero a disagio. Non è una vera e propria paura, però un certo disagio ce l'ho. Ci sono delle gradazioni del disagio che variano a seconda di come mi sento in quel momento.

"Vabbè, andiamo in aereo" (rassegnato), e allora mestamente prendiamo l'aereo; oppure: "Oddio, andiamo in aereo?" (seriamente preoccupato). Questa è l'oscillazione.

Paura vera e propria l'ho provata solo una volta. Mi capitò che dovevo andare a Copenhagen e mentre ero seduto al mio posto, all'ultimo minuto, arrivò un signore che conoscevo benissimo. Questo signore, che poi è diventato uno scrittore e un insegnante universitario di ben altra materia alla facoltà di Scienze delle Comunicazioni, allora era docente universitario in Fisica delle Alte Atmosfere, lo vidi sedersi accanto a me e mi sentii rincuorato.

Un fisico delle Alte Atmosfere chiaramente è uno che ti spiega perché un aereo sta in volo. Mi sentii tranquillizzato ad avere accanto un vero tecnico, un vero competente.

La prima spia che le cose non erano così la ebbi nel momento del decollo, quando casualmente la sua mano destra si posò sul mio ginocchio, stringendomelo un po' forte. Lo guardai. Era un po' sudaticcio.

"Vuoi vedere che questo qui ha paura?"

Poi quando ci fu il rumore del carrello che rientrava, lui sobbalzò e disse: "Che è?".

Gli risposi: "Ma è il carrello!".

"Guarda, 'Ni," disse, "io c'ho una paura a volare... Non riesco a capire come fanno questi aerei a restare sospesi in aria."

Questo, detto da un professore di Fisica delle Alte Atmosfere, vi giuro mi fece sprofondare nel terrore più puro.

Mio cognato, che ha viaggiato in tutto il mondo, e di conseguenza non ha fatto altro che viaggiare in aereo, ad una mia domanda precisa: "Quando è che ti sei spaventato?", rispose: "Ah, una volta". Lui lavorava all'Alenia, dove fabbricano pezzi per aerei. "Quando un nostro ingegnere si sedette accanto a me."

"Anche lui aveva paura del volo?" chiesi io.

"No, non aveva paura di volare", ma capitò che nell'attimo che l'aereo stava per staccarsi dal suolo, lui disse questa frase: "Ma non ha raggiunto i giri".

"Io," disse mio cognato, "mi sentii morire."

Ma, anche se non aveva raggiunto i necessari giri del motore, l'aereo partì bene lo stesso.

Il mare

Mare...

Mare sono i pescatori del mio paese. I pescatori meravigliosi del mio paese.

Prima con i "rizzi viliari", che erano delle particolari barche a vela, e poi con i pescherecci, nel periodo di maggior splendore del mio paese che era, allora, il secondo porto peschereccio d'Italia; poi perdette questa posizione a favore di Mazara del Vallo.

Io, ogni volta che riesco a mettere piede su una barca, sento ricomporsi dentro di me come un equilibrio, che perdo sulla terraferma.

Ancora riesco a tuffarmi e stare sott'acqua parecchio. E questo era uno dei giochi più divertenti che facevo a chi non mi conosceva: stare giù in apnea e suscitare l'allarme dei presenti. E questo riesco a farlo ancora oggi, malgrado le sigarette che fumo.

Insomma, credo che l'elemento acquatico sia fondamentale per me.

La prima volta che mi spostai dal mio paese verso l'interno della Sicilia, andai a Caltanissetta con mio padre, non mi ricordo per quale motivo, tutti e due nella stessa stanza.

Io ero bambino e non riuscivo a prendere sonno.

Mio padre mi chiese: "Ma perché non dormi?".

Non riuscivo a dormire e non capivo perché. Poi scoprii che mi mancava il rumore del mare.

Ho visto grandi episodi di eroismo legati al mare. Io, tutta la guerra, l'ho vissuta a Porto Empedocle, dove c'erano le nostre navi militari, e qui ho conosciuto gente che poi sarebbe stata decorata con medaglie d'oro al valore.

Ricordo, ad esempio, un attacco memorabile di un cacciatorpediniere a "tre pipe", i cacciatorpedinieri a tre pipe erano quelli che avevano tre fumaioli e che risalivano alla guerra del '14-18. Il cacciatorpediniere era comandato dal Capitano di Vascello, Margottini, che aveva portato il suo cane a bordo.

Un giorno, in un pattugliamento, si ritrovò di fronte l'intera flotta inglese che cominciò a cannoneggiarlo. Capì allora che per silurare doveva portarsi almeno a trecento metri di distanza, che significava essere colpito sicuramente. Arrivò a trecento metri di distanza con la nave in fiamme e silurò, colpì un incrociatore, ma affondò con tutta la nave.

Il suo cane, quando lo vide inghiottito dalle onde, lo afferrò per la collottola e lo riportò su, salvandogli la vita.

Quando il Capitano Margottini venne a casa nostra, il cane venne messo al posto d'onore e fu protagonista dei festeggiamenti che facemmo quella sera.

Ma di questi episodi ne avrei tantissimi da raccontare.

Sempre a proposito del mare, devo dire che il premio letterario più bello, quello che io ho apprezzato più di tutti, mi viene dall'isola di Ouessant.

L'isola appartiene al circondario di Brest, ed è l'isola francese presso la quale i pescherecci di altura, quelli che stanno fuori per dei mesi, fanno scalo prima della partenza.

Sull'isola di Ouessant, che è possibile attraversare in quattro ore, e che è solo un pezzo di terra intorno a un faro, con poche case e un porto peschereccio, decidono di istituire un premio per la letteratura insulare, cioè per gli scrittori delle isole.

Il mio *Il birraio di Preston* entra in finale. La giuria fa una riunione su un motopeschereccio e decide di premiarmi.

Mi danno 15 mila franchi, ma mi dicono che è inutile che io mi scomodi ad andare sull'isola, basta che gli fornisca le coordinate bancarie e loro mi manderanno i soldi, contestualmente mi mandano la motivazione letteraria del premio che è esattamente questa: "Bon livre".

Che io trovo sia una delle più belle motivazioni che si possano dare per premiare un romanzo.

Note

A cura di Giorgio Santelli

Abbiamo pensato che valesse la pena fornire qualche informazione sulle storie, i luoghi e i personaggi citati nei racconti di Andrea Camilleri, per consegnare al lettore uno strumento utile a contestualizzarli. A tale proposito, e grazie all'aiuto di Debora Aru e Carlo Posio, sono state compilate queste brevi note.

Le prime distanze

André Malraux (Parigi, 3 novembre 1901 - Créteil, 23 novembre 1976) – Scrittore e politico. Scrive tre romanzi con cui ottiene il successo e diventa famoso. Il motivo ricorrente in questi scritti è l'avventura, l'azione in cui l'eroe moderno ritrova la propria coscienza nella solidarietà umana. *La condition humaine* è il romanzo che lo consacra al pubblico italiano. Malraux, ministro con De Gaulle e fino alla Quinta Repubblica francese (1959-1969), si adoperò per promuovere la cultura francese, anche attraverso una gestione statale dell'arte, caratterizzata da forti investimenti pubblici, uno su tutti, la ristrutturazione della reggia di Versailles.

Mario Alicata (Reggio Calabria, 8 maggio 1918 - Roma, 6 dicembre 1966) – Politico e critico letterario. Inizia a militare tra le file dei gruppi antifascisti clandestini, a Roma e a Milano, nel 1935. Nel 1940 aderisce al Partito comunista e nel 1955 gli viene affidata la direzione della sezione culturale del Pci. A una intensa attività politica, che lo porta a ricoprire ruoli chiave nella direzione del Partito comunista, per cui verrà eletto deputato nel 1948, affianca una costante attività culturale: fu sceneggiatore, redattore a Einaudi e giornalista militante.

La formazione politica

Esercito volontario per l'indipendenza della Sicilia (Evis) – Formazione militare clandestina e separatista nata nel 1944 nel solco del Movimento per l'indipendenza della Sicilia, ma non riconosciuta dal Mis. Il primo comandante fu il giurista Antonio Canepa, che voleva imprimere al processo indipendentista una soluzione repubblicana. Ma Canepa, che rappresentava la componente progressista dell'Evis, fu ucciso nel 1945 in un conflitto a fuoco con i carabinieri, in circostanze mai chiarite. In seguito fu stretta l'alleanza con le cosche e i banditi di Salvatore Giuliano. Nel 1946 lo Stato italiano concesse l'autonomia alla Sicilia e l'Evis fu sciolto.

I compagni di classe

Gaspare Giudice (Roma, 25 febbraio 1925 - Napoli, 10 gennaio 2009) – È considerato il più grande biografo di Luigi Pirandello. Era compagno di Liceo di Andrea Camilleri, il quale a sua volta fu alunno della sorella di Gaspare, Lia Giudice, che ebbe grande peso nella sua formazione intellettuale. Era il tempo delle adunate fasciste, e Camilleri, assieme a Dante Bernini, Luigi Giglia, che sarebbe diventato sottosegretario Dc al Tesoro, e Gaspare Giudice, ottenne dal medico la dispensa. Erano i "cardiopatici" citati da Camilleri nel suo racconto.

Lo sbarco degli americani in Sicilia

George Smith Patton (San Gabriel, 11 novembre 1885 - Heidelberg, 21 dicembre 1945) – Generale statunitense, grande organizzatore e stratega, soprannominato "generale d'acciaio" per il suo carattere impulsivo e per la sua personalità risoluta, comandò la 7ª Armata statunitense impegnata nello sbarco in Sicilia, il 10 luglio 1943. Le responsabilità di Patton nei sanguinosi eccidi operati dalla 7ª Armata all'indomani dello sbarco non sono mai state accertate.

La mafia e il separatismo

Giuseppe Alessi (San Cataldo, 29 ottobre 1905 - Palermo, 13 luglio 2009) – Politico, è tra i fondatori della Dc siciliana. È stato membro della Consulta Regionale per la compilazione dello statuto della Regione Siciliana. Nell'aprile del 1947 è eletto deputato all'Assemblea Regionale Siciliana e il 30 maggio 1947 è il primo presidente della Regione. È stato parlamentare della Repubblica.

Portella della Ginestra

Girolamo Li Causi (Termini Imerese, 1° gennaio 1896 - Palermo, 14 aprile 1977) – Politico, fu direttore, prima della seconda guerra mondiale, dei quotidiani "Il Secolo nuovo" e "L'Unità". Militante antifascista, venne arrestato nel 1928 per la sua attività politica. Una volta liberato, tornò in Sicilia da partigiano per organizzare il Pci isolano, di cui fu il primo segretario regionale. In prima linea contro la mafia, fu il politico che più si impegnò per denunciare la strage di Portella della Ginestra, anche attraverso importanti interventi che pronunciò in veste di parlamentare.

Francesco Renda (Cattolica Eraclea, 18 febbraio 1922 - Palermo, 12 maggio 2013) – Storico, politico, docente. Esponente del Pci siciliano, scampa alla strage di Portella della Ginestra per una serie di fortuite coincidenze, insieme a Girolamo Li Causi. Senatore nel 1967, nel 1972 lascia la politica e si dedica a un'altra sua grande passione, l'insegnamento, accettando la docenza di Storia moderna all'Università di Palermo.

L'amicizia in Sicilia

Nino Martoglio (Belpasso, 3 dicembre 1870 - Catania, 15 settembre 1921) – È fra i più noti poeti e commediografi siciliani. A 19 anni pubblica tutte le sue poesie nel settimanale culturale umoristico da lui fondato, il "D'Artagnan", scritto in dialetto siciliano. Dal 1901 si dedica anche al teatro: fonda e dirige la Compagnia Drammatica Siciliana, che porta in scena alcune delle sue opere, caratterizzate da dialoghi rigorosamente dialettali e contrassegnati da una forte *vis* comica, uno su tutti *Mastru Austinu Misciasciu* (1908). Nel 1910 fonda a Roma la struttura stabile del primo "Teatro Minimo" presso il Teatro Metastasio. Feconda fu la sua collaborazione con Luigi Pirandello, che scrisse sotto sua richiesta alcune opere per il teatro, in dialetto, tra cui *'A vilanza* e *Cappiddazzu paga tutto*. Come regista diresse quattro film muti, le cui pellicole sono andate perdute.

L'Ammiraglio Pirandello

Lucio D'Ambra, pseudonimo di Renato Eduardo Manganella (Roma, 1° dicembre 1880 - Roma, 31 dicembre 1939) – È stato scrittore, regista, produttore cinematografico, giornalista, critico letterario e teatrale, drammaturgo e direttore artistico di compagnie di teatro nonché sceneggiatore per il cinema.

Il primo premio letterario

Silvio D'Amico (Roma, 3 febbraio 1887 - Roma, 1° aprile 1955) – Critico e teorico teatrale. Scrisse per "L'idea nazionale", "Tribuna", "Giornale d'Italia", "Tempo" e per "Scenario", da lui fondato e diretto. Per dieci anni fu autore delle cronache teatrali a Radio Roma. Incaricato di riformare la Scuola di recitazione di Roma, ne fu il presidente, e oggi l'Accademia Nazionale d'Arte Drammatica porta il suo nome. Tra le personalità che si diplomarono alla scuola, Vittorio Gassman, Luigi Squarzina, Elio Pandolfi, Rossella Falk, Anna Magnani, Nino Manfredi, Monica Vitti e Luca Ronconi.

Gran caffè ristorante Giubbe Rosse – Lo storico caffè letterario fiorentino di piazza della Repubblica, fin dalla sua apertura, alla fine del 1800, diventa luogo di ritrovo e crocevia per letterati e artisti. Durante tutto il Novecento sono passati dal Caffè esponenti del Futurismo, dell'Ermetismo, delle Neoavanguardie, della Multimedialità: Marinetti, Boccioni, Palazzeschi, De Robertis, Montale, Saba, Gadda, Quasimodo, Vittorini, per citarne alcuni. Ancora oggi vengono organizzati eventi culturali, presentazioni di libri, esposizioni.

Fuori dall'Accademia

Virgilio Marchi (Livorno, 21 gennaio 1895 - Roma, 30 aprile 1960) – Scenografo e architetto. Esponente di rilievo del Futurismo, nel 1929 fu lui a disegnare le scene e i costumi delle opere *L'Italiana in Algeri* e *La Cenerentola* di Rossini. Fu uno dei maggiori scenografi italiani: dal 1935 al 1959 lavorò come scenografo cinematografico in circa sessanta film.

Luigi Vannucchi (Caltanissetta, 25 novembre 1930 - Roma, 30 agosto 1978) – Attore. Dopo il diploma nel 1952 all'Accademia Nazionale d'Arte Drammatica di Roma, entra a far parte della compagnia Gassman-Squarzina. Nel 1957 è scritturato dal Piccolo Teatro di Milano e collabora con Giorgio Strehler.

Diventa popolare per il suo ruolo di protagonista in numerosi sceneggiati Rai negli anni sessanta. Negli anni settanta entra nella "Compagnia Gli Associati" con, tra gli altri, Valentina Fortunato, Giancarlo Sbragia e Sergio Fantoni, esperienza contrassegnata dalla volontà di emanciparsi dai teatri stabili, visti come limitanti della creatività artistica degli attori.

Glauco Mauri (Pesaro, 1° ottobre 1930) – Studia come attore nel 1949 all'Accademia Nazionale d'Arte Drammatica diretta da Silvio D'Amico. Dopo le prime importanti interpretazioni, che lo vedono lavorare al fianco di noti teatranti quali Giorgio Albertazzi, Mario Scaccia e Enrico Maria Salerno, nel 1961 dà vita all'esperienza della "Compagnia dei Quattro" con Valeria Moriconi, Franco Enriquez, Emanuele Luzzati. Nel 1981 con Roberto Sturno fonda la "Compagnia Mauri-Sturno", che propone un vasto repertorio di autori classici e contemporanei.

Franco Graziosi (Macerata, 10 luglio 1929) – Attore. Dopo essersi diplomato nel 1953 all'Accademia Silvio D'Amico, muove i suoi primi passi nella compagnia del Piccolo Teatro di Milano, dove rimarrà per moltissimi anni recitando in numerosi spettacoli, la maggior parte dei quali diretti da Giorgio Strehler.

Ha collaborato anche con altre compagnie teatrali, dove ha avuto la possibilità di essere diretto da maestri come Orazio Costa, Luca Ronconi, Giorgio Albertazzi, Vittorio Gassman.

Ha partecipato a numerosi sceneggiati televisivi, radiofonici e ha recitato anche per il cinema in film come *Uomini contro* di Francesco Rosi e *Giù la testa* di Sergio Leone. Una delle sue ultime apparizioni cinematografiche è in *Habemus Papam* di Nanni Moretti, dove interpreta il cardinale Bollati.

Enrico Maria Salerno (Milano, 18 settembre 1926 - Roma, 28 febbraio 1994) – Attore. Finita la guerra comincia la sua carriera artistica collaborando con il Piccolo Teatro di Milano per poi andare a Genova, allo Stabile, portando in scena opere di Dostoevskij, Pirandello e Giraudoux.

Popolare anche come attore cinematografico (*L'estate*, 1966; *Un prete scomodo*, 1975), come doppiatore – ha dato la voce a Clint Eastwood nella "Trilogia del dollaro" di Sergio Leone – e regista, ottenendo subito grande successo col film *Anonimo veneziano*, del 1970.

Il rapporto con la regia teatrale

Aristide Baghetti (Civitavecchia, 25 febbraio 1874 - Milano, 21 marzo 1955) – Attore, iniziò giovanissimo la sua carriera, passando per importanti compagnie teatrali, per poi approdare, nel 1915, nella compagnia di Ermete Novelli, la "Fert". Qui ebbe la possibilità di recitare al fianco di importanti attori, tra cui Lyda Borelli.

La consacrazione sul grande schermo arrivò nel 1930, quando interpretò *Resurrectio* di Alessandro Blasetti.

Il rapporto con Orazio Costa

Orazio Costa Giovangigli (Roma, 6 agosto 1911 - Firenze, 14 novembre 1999) – Regista teatrale e insegnante di arte drammatica. Fu allievo di Silvio D'Amico, che lo mandò a perfezionarsi a Parigi presso Jacques Copeau. Nel 1944 fu nominato insegnante di regia nella stessa Accademia di D'Amico. Non vi sarà quasi più spettacolo da lui firmato che non sia anche l'atto di nascita di attori ancora sconosciuti. Costa elaborò quello che si chiama il metodo mimesico, ovvero la capacità dell'attore di immedesimarsi in ogni elemento naturale, percorso necessario per poter interpretare totalmente un personaggio sulla scena.

Ettore Romagnoli (Roma, 11 giugno 1871 - Roma, 10 maggio 1938) – Saggista e critico letterario, scrisse raccolte di poesie, novelle e saggi d'argomento teatrale. Per il teatro compose le musiche di alcuni suoi allestimenti per le stagioni del Teatro Greco di Siracusa. Tradusse molte opere dal greco, tra cui le tragedie di Euripide, Sofocle ed Eschilo, che tuttora vengono spesso messe in scena nelle versioni proposte dalle sue traduzioni e revisioni.

Mario Ferrero (Firenze, 25 maggio 1922 - Vicchio, 9 settembre 2012) – Regista, autore teatrale e cinematografico, lavora anche negli allestimenti di prosa radiofonica della Rai. È stato lui a curare la regia del primo originale televisivo Rai *La domenica di un fidanzato* di Ugo Buzzolan, nel 1954.

Il teatro di ricerca

Jean Genet (Parigi, 19 dicembre 1910 - Parigi, 15 aprile 1986) – Noto e discusso poeta, scrittore, saggista e drammaturgo, fu anche un attivista politico di sinistra. Si impegnò in molte lotte politiche sostenendo le Pantere Nere e i palestinesi dell'Olp. Suo *Quattro ore a Chatila*, dove racconta i massacri perpetrati dalle milizie cristiane nel campo profughi di Sabra e Chatila nel 1982.

Jules Eugène Louis Jouvet (Crozon, 24 dicembre 1887 - Parigi, 16 agosto 1951) – Attore, esordisce ventenne in una compagnia teatrale amatoriale, per poi approdare anche al cinema. Dirige la compagnia "Comédie des Champs-Élysées" e dal 1935 l'Athénée di Parigi, che ha poi preso il suo nome. Sul grande schermo sono storiche le sue interpretazioni in *La kermesse eroica* (1935) e in *Verso la vita* (1936) di Jean Renoir.

Christian Bérard (Parigi, 20 agosto 1902 - Parigi, 11 febbraio 1949) – Pittore, scenografo e costumista francese, collaborò con i grandi del teatro, soprattutto con Cocteau. Lavorò come illustratore per Coco Chanel, Elsa Schiaparelli e Nina Ricci. A livello artistico prese le distanze dai movimenti avanguardistici, orientandosi verso il neo-romanticismo.

Il Teatro dell'Assurdo

Luigi Candoni (Arta Terme, 2 ottobre 1921 - Udine, 13 agosto 1974) – Drammaturgo. Muove i suoi primi passi con la rivista "Teatro Orazero", da lui fondata e diretta, e con l'omonima compagnia teatrale. Esponente del teatro d'avanguardia, si adoperò per la sua diffusione in Italia, dove fu il primo a tradurre e rappresentare opere di Tennessee Williams, Tankred Dorst, Eugène Ionesco, Samuel Beckett.

Arthur Adamov (Kislovodsk, 23 agosto 1908 - Parigi, 15 marzo 1970) – Scrittore e drammaturgo. Viene influenzato, nella sua produzione, inizialmente dal Surrealismo (*Le Parodie*, 1947), poi dall'Espressionismo tedesco (*L'invasion*, 1949) e da Brecht (*Le Professeur Taranne*, 1953). È considerato uno dei maggiori esponenti del Teatro dell'Assurdo.

La radio e la televisione

Cesare Lupo – Dirigente Rai, guida dal 1951 al 1962 il Terzo programma della Radio, portandolo a delinearsi sempre di più come rete culturale di alto profilo e come luogo dove gli intellettuali potessero liberamente sperimentare ed esplorare nuove frontiere culturali e artistiche.

Alberto Lupo, al secolo Alberto Zoboli (Genova, 19 dicembre 1924 - San Felice Circeo, 13 agosto 1984) – Attore amatissimo dal pubblico, il suo esordio fu nel 1946 al Teatro d'Arte Città di Genova, dove recitò con Gino Cervi nel *Cyrano* di Rostand. La consacrazione avvenne nel 1964 quando interpretò il personaggio del dottor Andrew Manson in *La cittadella*, tratto dall'omonimo romanzo di A.J. Cronin. Nel 1965 ottenne ancora grandi successi con la riduzione televisiva del romanzo di Tolstoj *Resurrezione*.

Lidia Motta (1929-2006) – È stata definita "la signora della Radio", per il contributo entusiasta e competente che ha trasmesso nel suo modo di vedere e interpretare la Radio del servizio pubblico. La sua carriera alla Rai è iniziata nel 1955. Ha lavorato per le tre reti approdando infine a Radio Due Rai, dove ha dato vita a celeberrimi programmi: *Radiodue 3131*, *Le interviste impossibili*, la prima soap radiofonica *Matilde*, la trascrizione radiofonica della *Bottega dell'Orefice* di Karol Wojtyla.

Le inchieste del commissario Maigret – La serie televisiva, che racconta le vicende del commissario nato dalla penna di George Simenon, è andata in onda sulla Rai dal 1964 al 1972. La regia fu affidata a Mario Landi, con Gino Cervi nel ruolo di Maigret.

Le interviste impossibili – Programma radiofonico della Rai, andò in onda dal 1973 al 1975. Prevedeva che alcuni intellettuali fingessero di intervistare i fantasmi di importanti uomini e donne vissuti in epoche passate. Nel 1975 Valentino Bompiani decise di pubblicarne in due volumi una selezione, ma la fortuna del format è stata ripresa in seguito anche in diversi programmi radiofonici e televisivi, spettacoli teatrali e incontri letterari.

L'incontro con Leonardo Sciascia

Omicidio Notarbartolo – Fu il primo delitto politico di mafia, avvenuto il primo febbraio del 1893 su un treno Termini-Palermo.

Emanuele Notarbartolo, ex direttore generale del Banco di Sicilia, venne ucciso a coltellate e i sospetti, come mandante dell'omicidio, caddero subito su un deputato della Destra storica, Raffaele Palizzolo. Dietro l'assassinio si intrecciarono gli interessi, oltre che di Cosa Nostra, della politica nazionale, dell'alta finanza e dei principali potentati lobbistici palermitani. Il caso superò i confini dell'isola e la questione mafia sconvolse l'opinione pubblica italiana e acquisì il rango di "questione nazionale".

Elvira Giorgianni Sellerio (Palermo, 28 maggio 1936 - Palermo, 3 agosto 2010) – Nel 1970, da un'idea ispirata da una discussione con Leonardo Sciascia e Antonino Buttitta, fonda la Sellerio Editore, assieme al marito, il fotografo Enzo Sellerio. "Con Elvira Sellerio non avevo un rapporto autore-editore. Saremmo stati amici anche se io fossi stato un rappresentante di elettrodomestici." Così Andrea Camilleri ha ricordato in un dibattito pubblico Elvira Sellerio. "Per me era quella sorella minore che avevo tanto desiderato, parlavo con lei delle mie cose come con nessun altro, come se ci conoscessimo dall'infanzia. Ero affascinato dalla sua personalità complessa, Elvira sapeva essere dolcissima e durissima insieme. Frequentavo la casa editrice come casa mia."

Fu Elvira Sellerio a premere affinché i romanzi di Montalbano divenissero una serie. "Dopo i primi due romanzi volevo finisse, che non diventasse una serie: è stata Elvira che ha insistito, insieme a un amico romano, perché continuassi a scriverlo."

La musica e il jazz

Sweet Georgia Brown – È un brano jazz scritto nel 1925 da Ben Bernie, con musica di Maceo Pinkard e testo di Kenneth Casey. Il brano ha più di trecento versioni ed è stato interpretato dai principali artisti del soul e del jazz, da Ray Charles a Ella Fitzgerald.

Arturo Strappini – È stato uno dei primi direttori d'orchestra a portare il jazz in Italia. A sua volta musicista – sono note le sue incisioni con Cetra –, ha diretto diverse orchestre per un lungo periodo alla Radio, prima e dopo la guerra. Attivo nella realizzazione di riviste radiofoniche e varietà musicali, con l'avvento della televisione nel '54 ha curato la parte musicale dei primissimi varietà.

Nick La Rocca, pseudonimo di Dominic James La Rocca (New Orleans, 11 aprile 1889 - New Orleans, 22 febbraio 1961) – Compositore, direttore d'orchestra e cornettista statunitense di origine siciliana, con il suo gruppo compone moltissimi brani, tra cui *Dixieland Jass One Step*, *Livery Stable Blues* e la famosissima *Tiger Rag*. A lui si deve, nel 1917 a New York, la prima incisione discografica di jazz. Nel 1919 la Original Dixieland Jazz Band, la sua orchestra, si esibisce in Canada come orchestra ufficiale per festeggiare la firma del Trattato di Versailles, al Savoy Hotel.

L'amore e altri incontri

Angelica Balabanoff (Černigov, 4 agosto 1877 - Roma, 25 novembre 1965) – Ucraina di origine ebraica, ricopre un ruolo importante nel socialismo italiano e internazionale. Dopo gli studi universitari compiuti in diverse città europee, nel 1900 giunge in Italia, dove diventa allieva di Antonio Labriola. Dal 1912 al 1917 fa parte della direzione del Psi e nel 1913 affianca Benito Mussolini alla guida dell'"Avanti!". Dal 1917 è in Russia e riceve incarichi importanti nel Partito, da cui si allontana nel '22, in dissenso da Lenin e Trotsky. Durante il fascismo è all'estero e torna in Italia con la nascita della Repubblica. Continua a partecipare attivamente alla vita politica del paese e nel 1947 aderisce alla scissione di Palazzo Barberini e al Psdi di Saragat.

Cominciare a pubblicare

Niccolò Gallo (Roma, 1912 - Santa Liberata, 4 settembre 1971) – Fine intellettuale comunista, è tra i maggiori protagonisti della letteratura italiana degli anni '50 e '60. Camilleri lo definisce un vero e proprio "talent scout": scopre grandi scrittori – come Cassola e Bassani –, prima per l'editore toscano Nistri-Lischi, poi per Mondadori, che nel 1958 lo chiama a dirigere la collana dedicata ai giovani. Con la collana "Il Tornasole", da lui ideata, viene pubblicata, nel 1963, l'opera prima di Vincenzo Consolo *La ferita dell'Aprile*. Alla Mondadori nasce anche il rapporto con Andrea Camilleri e l'esordio con *Il corso delle cose*. Gallo legge e prende appunti sul manoscritto di Camilleri, invitandolo ad avere più coraggio, e gli scrive alcuni suggerimenti che Camilleri utilizzerà solo in seguito, nella seconda edizione del romanzo pubblicata da Sellerio.

Il secondo romanzo

Ruggero Jacobbi (Venezia, 21 febbraio 1920 - Roma, 9 giugno 1981) – Scrittore, saggista, regista, drammaturgo, critico letterario e teatrale. Nel 1938 vince il premio per la critica letteraria ai Littoriali della cultura a Palermo, e in quella circostanza inizia a frequentare giovani intellettuali antifascisti. Partecipa alla Resistenza. Nel '46 parte per il Brasile come direttore artistico della compagnia di Diana Torrieri e ci rimane fino al 1960. Con altri artisti italiani contribuisce al rinnovamento del teatro brasiliano, adattando in portoghese opere di drammaturghi italiani e stranieri. Insegna recitazione a San Paolo e a Porto Alegre dirige l'Istituto di studi teatrali. Quando torna in Italia diventa direttore della Scuola d'Arte Drammatica del Piccolo Teatro e critico teatrale dell'"Avanti!". Nel 1973 l'Università di Roma gli affida la cattedra di Letteratura brasiliana, insegna all'Accademia Nazionale d'Arte Drammatica Silvio D'Amico e la dirige dal 1975 al 1980.

Il furto della madre

Stefano D'Arrigo (Alì Terme, 15 ottobre 1919 - Roma, 2 maggio 1992) – Scrittore, poeta e critico d'arte, il suo lavoro più importante è il monumentale romanzo *Horcynus Orca*, edito nel 1975, dopo una tormentata stesura durata circa venti anni. Il romanzo fu un vero e proprio caso letterario, un'opera complessa e raffinata, caratterizzata per la sua straordinaria invenzione linguistica, dove si intrecciano l'italiano colto, la parlata popolare dei pescatori siciliani e una gran mole di termini originali ideati dall'autore.

L'insegnamento

Marco Bellocchio (Bobbio, 9 novembre 1939) – Allievo di Camilleri al Centro Sperimentale di Cinematografia di Roma, dopo essersi diplomato in regia, prosegue a Londra la sua formazione. Grande maestro e regista, icona della sinistra italiana, ha raccontato con il cinema la storia d'Italia ed è stato insignito, nel 2011, del Leone d'Oro alla carriera, ricevuto dalle mani di Bertolucci alla 68ª Mostra Internazionale d'Arte Cinematografica di Venezia.

Tra le sue opere più note, *I pugni in tasca* (1965), *La Cina è vicina* (1967), *Matti da slegare* (1975), *Marcia trionfale* (1976), *Il diavolo in corpo* (1976) e *La condanna* (1991).

L'ultima sua fatica, dedicata alla questione eutanasia, è *Bella addormentata*, ispirata alla vicenda di Eluana Englaro, che ha ricevuto il Premio Monicelli del Bari Film Festival nel 2013.

Lo strano colore dell'amicizia
Postfazione di Francesco Anzalone

Ho incontrato Andrea Camilleri per la prima volta nel 1977 a Messina, in occasione dell'inaugurazione del Teatro Comunale che, vista l'assenza di spazi più consoni, venne "inventato" in un capannone della Fiera Campionaria della città.

Lo spettacolo teatrale scelto per l'avvenimento, *Merli e Malvizi*, aveva suscitato nei teatranti una forte protesta per i criteri che erano stati adottati: si era scelto un brutto testo scritto da un giornalista locale, e la compagnia era stata "assemblata" in maniera discutibile, nonostante la presenza di Massimo Mollica, bravo attore e personaggio locale di rilievo. L'unica scelta indiscutibile era stata quella della regia, affidata a Camilleri, che però faceva quello che poteva.

Il malcontento montò al punto che in occasione della prima si scatenò una manifestazione spontanea di qualche centinaio di persone, davanti al teatro.

Io ero tra quelli: teatrante dell'ultima ora, non avrei perso mai quell'occasione che riuniva in uno spontaneo raggruppamento le varie anime della Messina teatrale e anticonformista.

117

Prima dello spettacolo Camilleri uscì dal teatro da una porta laterale per rendersi conto di quello che stava succedendo. Fu, naturalmente, aggredito, ma rispose a ogni obiezione con la calma e la saggezza che poi ho avuto modo di conoscere. La "piazza", però, era poco disposta al dialogo e di fronte a questa impossibilità, Andrea rientrò in teatro.

Io ero drammaticamente in prima fila e buona parte di questa conversazione la fece con me.

A distanza di qualche mese decisi di provare a entrare, come allievo regista, all'Accademia Nazionale d'Arte Drammatica.

La ragionevole ansia che assale chiunque debba fare un concorso che prevede solo pochissimi selezionati si trasformò in terrore quando scoprii che Andrea Camilleri era nella commissione e che era lui l'insegnante di regia.

Sperai che non si ricordasse di me e delle vicende messinesi.

Si ricordava tutto!

Nonostante questo, superai l'esame senza ritorsioni e mi trovai in una classe di regia particolare, con due soli allievi: io e un altro ragazzo di Palermo.

Considerato che Camilleri è di Porto Empedocle, la classe di regia di quell'anno dell'Accademia Nazionale d'Arte Drammatica mi vedeva, nonostante la mia nascita messinese, come rappresentante del Nord.

L'esperienza dell'Accademia è stata assolutamente straordinaria, noi tre passavamo intere giornate insieme, e non nel chiuso di un'aula, ma in giro per la città o a casa dell'uno o dell'altro.

Il senso dell'insegnamento di regia, che Andrea perseguiva con noi, passava attraverso la comunicazione, la sinergia, il conoscersi profondamente, l'abbattimento di qualunque barriera precostituita.

Conoscersi per scoprire come approfondire il concetto stesso della regia.

E così, inevitabilmente, siamo diventati amici.

In quegli anni, ho scoperto la stupefacente capacità di Andrea di raccontare. Una capacità affabulatoria che mi ha sempre affascinato e anche, a volte, stupito.

Come quando (ed è successo più di una volta), assistendo a un racconto fatto ad altri amici di una vicenda vissuta, ne restavo particolarmente incuriosito e colpito.

Ancora di più, quando scoprivo che nella vicenda raccontata io ero stato presente, ma l'avevo riconosciuta solo dopo molti minuti, nonostante non fosse stato aggiunto niente di falso o romanzato.

Anche dopo la fine del ciclo di studi accademici abbiamo continuato a frequentarci e, a volte, anche a lavorare insieme, tanto da potere affermare che buona parte della mia carriera è passata attraverso l'incontro con Andrea e la reciproca stima che ci ha legato.

Mi "girò" una volta una regia prestigiosa. Si trattava di mettere in scena *I Giganti della montagna* di Luigi Pirandello, per il Teatro Nazionale Turco (naturalmente in turco). Lui non aveva la possibilità di andare in Turchia per due mesi per una serie di impegni già presi, e in più con la fatica di cimentarsi con una lingua difficilissima.

Era un'impresa titanica, abbiamo passato giornate intere a studiare un'interpretazione possibile e innovativa, anche perché *I Giganti della montagna* ha la caratteristica di essere un'opera incompleta, a cui manca completamente l'ultimo atto e con cui molti grandi registi si sono cimentati.

A un certo punto, Andrea non mi volle più vedere, si faceva negare al telefono e quando riuscivo a incrociarlo, dichiarava impegni improrogabili. Capii in seguito che mi aveva, di fatto, consegnato la regia dello spettacolo, che da quel momento dovetti realizzare da solo, con la mia testa e senza protezioni.

Quando lo spettacolo andò in scena, Andrea mi raggiunse ad Ankara in occasione della prima e mi fece un complimento incredibile: mi disse che il mio terzo atto era la più interessante lettura che lui avesse mai visto, anche più bella di quella di Strehler.

Quando Camilleri ha cominciato a scrivere con continuità, mi è capitato spesso di leggere in anteprima alcune pagine dei vari libri in lavorazione, per un parere, un'idea, un commento. E sono stato sempre ascoltato con attenzione e amicizia.

Nel mio rapporto con RaiSat Extra, a un certo punto è nata la possibilità di realizzare uno speciale su Andrea Camilleri. Io volevo dare a quest'avventura un carattere diverso da quello di un'intervista, e così ho immaginato un format che escludesse la figura dell'intervistatore.

Ad Andrea suggerivo, di volta in volta, un argomento, a volte solo una parola, e da quello lui partiva con un racconto. È nata così una serie di frammenti che fotografavano Camilleri attraverso le sue stesse parole, senza interlocuzioni, senza mediazioni, ma approfittando soltanto dei suoi ricordi più vivi e della sua capacità di narratore.

Trasformare tutto questo in un libro è stato affascinante e laborioso, e mi ha regalato la possibilità di passare con Andrea altre ore preziose, che mi hanno arricchito ancora di più della sua lucidità e della sua saggezza.

Una volta chiuso il lavoro di compilazione ci siamo visti con Andrea, per fare il punto della situazione. Dopo avere controllato tutto il materiale, ci siamo dedicati qualche minuto a parlare del più e del meno.

Vista la situazione politica del paese, inevitabilmente gli ho chiesto cosa ne pensasse, l'ho visto rabbuiato e cupo come non mi era mai capitato di vederlo.

"Viviamo in un paese strano, affetto dalla sindrome del motorino", e, alla mia richiesta di spiegazioni, ha risposto: "La caratteristica del motorino è l'anarchia. Puoi passare con il rosso, andare contromano, parcheggiare sui marciapiedi.

"Chiunque proponga di vietare qualcuna di queste cose, è un nemico da mettere in un angolo.

"Governare l'Italia non è impossibile, è inutile".

Sto ancora riflettendo su queste parole, e visto che non credo che, a breve, la nostra situazione politica migliorerà, le lascio scritte, perché si possano valutare in un futuro, che spero migliore.

Roma, 7 aprile 2013

N.B.

Vorrei ringraziare mia moglie Cinzia, che sostiene di avere cominciato a capirmi dopo che ha letto i libri di Camilleri, e li ha letti quasi tutti, cogliendone aspetti che a volte mi sfuggono, e mio figlio Arturo, che ha tutte le chiusure e tutti i pregi dei siciliani e che si prepara ad affrontare un percorso che non sarà facile visto il momento, che mi hanno sopportato in questo periodo e mi hanno permesso di portare a termine serenamente questo delicato lavoro.

Francesco Anzalone nasce a Messina e da subito dimostra di avere le idee chiare. Dopo essersi diplomato pensa di fare – nell'ordine – l'ingegnere, il pilota dell'Aeronautica, il professore di liceo, il rappresentante di materiali di cancelleria, il maestro di sci. Tenta tutte e cinque le strade, ma una grande passione per il teatro lo porta a tentare il concorso all'Accademia Nazionale d'Arte Drammatica, che vince, e dove inizia a scoprire la regia, coprendo, in qualche modo, tutti i ruoli succitati, almeno con la fantasia e la creatività.

Una volta finita l'Accademia, lavora in molti teatri stabili, tra cui Roma, Catania, Genova e Milano, dove ha l'occasione di avere degli scambi d'opinione con Giorgio Strehler. Ma la vera passione sarà la radio, dove collaborerà a lungo con Radio2 realizzando programmi che variano dall'informazione all'intrattenimento e che sarà la sua vera scuola artistica.

Ha spesso momenti di depressione e di esaltazione essendo tifoso dell'Inter e della Ferrari, e continua a credere di fare il mestiere più bello del mondo, anche se qualche volta è occasione di frustrazioni terribili.

Ha realizzato un lungometraggio, *Stelle di Cartone*, che è stato esaltato da "Variety" in occasione del Festival di Sorrento del 1993 e che hanno visto in 373, uscendone molto soddisfatti (con quasi tutti è poi diventato amico).

Ha un figlio di 19 anni a cui cerca di spiegare continuamente che tra il piacere del lavoro e il guadagno c'è un gap incolmabile. In questo momento è il coordinatore di WR7, una delle tre reti webradio della Rai.

Quel filo di fumo

Postfazione di Giorgio Santelli

Voglio raccontarvi le sensazioni di quell'esperienza che dette vita a I 'cunti 'i Nené per RaiSat Extra. Un'esperienza unica per me. Ti trovi faccia a faccia con l'autore di cui hai letto tutto e per alcuni giorni ti senti privilegiato. Di quei giorni voglio riportare un ricordo che è nel backstage di quelle straordinarie riprese.

Siamo quasi alla fine della seconda giornata di lavorazione. Nel frattempo, di fronte alla telecamera, Andrea Camilleri avrà fumato qualche stecca di sigarette. Ha iniziato fin dal primo ciak. E da quel primo ciak io e Francesco ci interrogavamo:

"In tv non si può fumare... che facciamo, glielo diciamo?". È stato il nostro cruccio per ore, ma non abbiamo trovato né la forza né tanto meno il coraggio di dirglielo. Come facevi? Provate a mettervi nei nostri panni.

La sera, alla fine delle riprese, l'angoscia. La mattina dopo, nuovamente a casa sua, si ricomincia. E lui, di nuovo, si presenta armato di sigarette e accendino. Tergiversiamo, con la speranza che lui finisca la sigaretta per cominciare a girare

125

sfruttando le pause di fumo. Ma non c'è verso. Andrea è una ciminiera. Verso mezzogiorno diamo la pausa alle riprese e io mi allontano. Tra me e me penso che il danno è fatto. Un'azienda come la Rai, come quella Rai, poteva anche dirti: "Non si può trasmettere un Andrea Camilleri che fuma, non sta bene, è contro le regole". E non avresti potuto nemmeno dire nulla. Te la prendi e pensi a tutto quello che va in onda, alla scabrosità intellettuale di alcuni talk, all'utilizzo improprio dell'immagine della donna, alla tanta violenza di alcune serie tv. "Va in onda di tutto e magari bloccano proprio Camilleri che fuma."

Mi armo di coraggio e telefono a Marco Giudici, che era allora il direttore di RaiSat Extra.

"Marco, sono Giorgio."

"Come va, come sta andando?"

"Bene, bene. È una cosa bellissima. Sta venendo proprio come la immaginava Francesco. Andrea Camilleri è un raccontatore eccezionale. Ma abbiamo un problema..."

"Che cosa è successo?" mi chiede il direttore.

"Andrea fuma."

"Be'," dice lui, "è risaputo. Qual è il problema? Sei preoccupato per la sua salute?" aggiunge ridendo.

"No," sbotto io, "non mi hai capito. Fuma mentre parla e mentre noi registriamo. Il racconto è intercalato da potenti sbuffate di fumo."

Marco si produce in una fragorosa risata. "Non ti preoccupare," dice, "a Camilleri nessuno può dire di no. Voglio vedere chi potrà porre qualche questione."

Torno da Francesco e, in attesa che Andrea

torni per gli ultimi racconti, gli riferisco della chiacchierata con Marco. Siamo rassicurati e notevolmente sollevati. Così tutto prosegue come prima. Il copione è sempre lo stesso: il ciak, la sigaretta accesa, il racconto che parte. Così sino alle ultime registrazioni.

"Andrea, dai, siamo alla fine. Ultimi sforzi," lo sprona Francesco.

Cambiamo set. Camilleri sceglie il giardino. Si siede su una sedia di vimini. Raggiunge per l'ennesima volta il pacchetto di sigarette nel taschino della camicia. Sfila la sigaretta e la mette fra le labbra. Prende l'accendino e con il pollice lo accende. Avvicina la fiamma alla sigaretta e poi si ferma. Alza gli occhi verso la telecamera, ci guarda e ci domanda:

"Posso fumare mentre giriamo?".

Era l'ultimo dei "cunti" televisivi.

Fu una bella esperienza e, a mio avviso, una pagina di buona televisione. Realizzata dalla Rai, dal servizio pubblico.

La Rai... fin da quando c'ho messo piede mi sono sentito come Alice nel paese delle meraviglie. A RaiSat Extra, primo approdo, comincio a conoscere quello straordinario archivio che grazie a Barbara Scaramucci diventa, giorno dopo giorno, sempre più fruibile. Dalle prime pellicole al digitale attuale, si apre un mondo straordinario che racconta un'Italia straordinaria. Ma a quell'archivio manca un pezzo. Si tratta di dieci anni e più di sperimentazione televisiva realizzata proprio attraverso RaiSat Extra. A oggi quell'archivio sta a Torino e ancora non è stato integrato con quello generale al quartiere Salario di Roma. Perderlo sarebbe un peccato.

RaiSat Extra è stata un'avventura quasi piratesca guidata da Marco Giudici, oggi vicedirettore di Rai2. Per parecchi anni il canale ha prodotto tv sperimentale, vista solo da poche migliaia di persone. Eravamo sul satellite, sulla piattaforma Sky. Ma la Rai ha interrotto il contratto con Sky nel 2009, facendo a meno di oltre 50 milioni di euro di fatturato. RaiSat è stata di fatto chiusa, togliendo utili importanti alla Rai. Il motivo è tuttora poco chiaro ma la politica, ancora una volta, su quella vicenda giocò un ruolo fondamentale.

Al di là del fatto puramente politico – che forse varrebbe la pena di indagare – è la questione editoriale che mi preme. Una sparuta redazione di dipendenti e lavoratori precari, anche per merito dell'aiuto "gratuito" di grandi firme e intellettuali, ha realizzato produzioni sperimentali a basso costo economico ma di grande contenuto editoriale.

Tra queste produzioni, proprio *I 'cunti 'i Nené*, ovvero le storie di Andrea Camilleri. Quelle pillole televisive di Camilleri, insieme alle *Lezioni di democrazia* di Sartori e ad alcune puntate di *Extraterreni*, sono state riproposte nel palinsesto di RaiNews24 nel 2012. E sono state presentate proprio come perle di quella produzione che RaiSat Extra aveva realizzato prima della sua chiusura.

Ed è in quel luogo che si sperimentarono anche nuovi linguaggi televisivi. Per la prima volta RaiSat Extra portò la radio in televisione. Successe con Fiorello e il suo strepitoso *Viva Radio2*.

Già dal maggio 2004 RaiSat cominciava a lavorare alle prime riprese di prova. Si doveva verificare che l'occhio della telecamera non disturbasse o condizionasse lo spettacolo radiofonico. E si voleva conservare intatta in tv proprio l'atmosfera, come dire, approssimativa del "non visibile", quando si fa un programma alla radio. C'erano, così, lunghe riunioni preparatorie con Fiorello, Baldini, i loro autori, il geniale Giampiero Solari, i direttori di Radio2 e RaiSat Extra Sergio Valzania e Marco Giudici, il regista Luca Nannini. Altri incontri si tennero con il produttore storico di Fiorello, Bibi Ballandi.

Il debutto in onda avvenne nella primavera 2005, con numeri da record per il satellite. C'era più gente attaccata alla parabola per il *Viva Radio2* televisivo che per alcune partite di calcio di cartello. L'esperimento venne ripetuto per il finale di una seconda e di una terza stagione radiofonica, nel 2006 e nel 2007. Diventò tradizione che l'ultima settimana di *Viva Radio2* fosse trasmessa anche in tv, tanto in diretta all'ora di pranzo, che in prima serata. Indimenticabili le immagini, finite su tutti i Tg, di Fiorello e Mike Bongiorno in goliardica processione con majorettes intorno a via Asiago.

Naturalmente c'era pure Andrea Camilleri, visibile, non solo ascoltabile. Anzi, c'erano due Camilleri: quello finto, che Fiorello aveva cominciato da poco tempo a imitare, e anche quello vero, che partecipò alla trasmissione divertitissimo dalle gag.

Oggi sembra quasi normale vedere, su RaiNews24, televisione e radio che cercano quotidianamente momenti di contaminazione con trasmissioni come *Caterpillar* e *Un giorno da Pecora*. Anche Lillo e Greg, con *Sei uno zero*, sono sbarcati in tv. Ma tutto cominciò con l'avventura di RaiSat Extra.

Un ultimo elemento, più generale, e non insisto. Per molte delle cose che in queste poche righe ho scritto e per le tante che scriverei, resto convinto che la Rai è un bene comune, che deve essere protetta e rilanciata; che deve essere messa in grado di spezzare il giogo a cui la politica l'ha sottoposta. Va cambiata ma deve rimanere pubblica, perché solo in questo modo è possibile tornare a dare piena qualità ai programmi e all'informazione che facciamo. Se, come succede nei servizi pubblici televisivi europei, il merito, la libertà, la competitività, l'innovazione saranno i cardini su cui impostare il futuro, comincerà nuovamente una bella storia. E a raccontarla ci saremo noi, assistenti, programmisti, autori, tecnici, produttori, registi, operatori e giornalisti.

Quella stagione di RaiSat Extra fu resa possibile grazie al contributo di molti autori, giornalisti, produttori, registi, assistenti interni all'azienda. E per l'aiuto di molti collaboratori che, in modo pressoché gratuito, hanno permesso a quell'esperienza di crescere. Come, per esempio, Renzo Arbore, grande amico della sperimentazione televisiva. Ideò, per Extra, il "Roberto Murolo Day": una giornata non stop per festeggiare i 90 anni di Roberto Murolo nel 2002. E insieme a lui è giusto ricordare e ringraziare: Claudio Abbado, Daniele Abbado, Carlo Albertini, Lucia Annunziata, Giovanna Aquino, Livia Aymonino, Piero Badaloni, Marco Baldini, Gaspare Barbiellini Amidei, Arrigo Benedetti, Lorena Bianchetti, Gianni Bisiach, Federico Bonelli, Lucia Bonifaci, Luca Bottura, Emilia Brandi, Alessandro Bucossi, Gianluigi Calderone, Antonio Caprarica, Andrea Carandini, Giovanna Carbone, Menico Caroli, Fausto Casagrande, Alessandro Cassieri, Valerio Castronovo, Michele Cervo, Pasquale Chessa, Gigliola Cinquetti, Simona Colarizzi, Antonello Colimberti, Marco Conti, Franco Cordelli, Gemma D'Amico, Ilaria D'Amico, Gloria De Antoni, Emily De Cesare, Francesco De Domenico, Oreste De Fornari, Roberta De Tommasi, Alessio Di Clemente, Lilli Fabiani, Elena Ferrara, Rosario Fiorello, Giuliano Fiorini, Giovanni Floris, Roberto Fontolan, Lorenza Foschini, Gaston Fournier-Facio, Paolo Franchi, Francesco Freyre, Massimo Gaggi, Valdo Gamberutti, Irene Ghergo, Gene Gnocchi, Roberto Herlitzka, Gianni Ippoliti, Roberto Ippolito, Rossella Izzo, Salvatore Izzo, Giuseppe Laterza, Paolo Longo, Enrico Lucherini, Curzio Maltese, Luca Martera, Carlo Masini, Luigi Mattucci, Silvana Mazzocchi, Lorenzo Mieli, Paolo Mieli, Maria Minelli, Antonio Maria Mira, Franco Morganti, Germana Mudanò, Gianluca Nannini, Marina Napolitano, Mimma Nocelli, Max Novaresi, Raffaella Offidani, Valeria Paniccia, Giovanni Parenti, Francesca Pedrollo, Renato Piccoli, Nino Pirito, Elena Pontrandolfi, Andrea Purgatori, Alessandra Raspa, Emilio Ravel, Gianni Riotta, Alberto Romagnoli, Cinzia Romano, Carlo Sartori, Giovanni Sartori, Franco Scaglia, Eugenio Scalfari, Antonella Sciocchetti, Renata Scotto, Raffaella Spaccarelli, Alessandro Spanghero, Susanna Stefani, Dario Tajetta, Luca Telese, Luciano Teodori, Perla Tortora, Piero Trupia, Luciana Tucci, Riccardo Venchiarutti, Adriana Verdirosi, Gianluca Veronesi, Gian Maria Vian, Daniel McVicar, Pascal Vicedomini, Paolo Villaggio, Francesco Villari, Anna Vinci, Alessio Vlad, Demetrio Volcic, Valentina Zega.

E alla fine ringrazio Anna Maria, mia moglie. Non ha lavorato a RaiSat e, forse fortunatamente, si occupa di altro. Ma quella stagione l'ha vissuta direttamente. Se non altro perché obbligata a "vedere" e a "criticare" il canale e, cosa ben più pesante, a sopportare le mie eventuali controrepliche e le mie assenze!

Giorgio Santelli nasceva a Carate Brianza, quando ancora era provincia di Milano, prima che le province divenissero così tante che ora le vogliono cancellare. Fin da piccolo desiderava fare il giornalista. Figlio e fratello di sindacalisti della Cgil, durante l'infanzia voleva guardare i cartoni animati sulla tv della Svizzera italiana, ma la sera gli toccava guardare il telegiornale sul primo, e poi sul secondo, quando nacque anche quello. Così, quando rapirono Aldo Moro, a scuola disse alla professoressa di italiano, Teresa Alfieri, che era stata la Dc. E lei chiamò i genitori per dire loro che era meglio che lui guardasse i cartoni animati. Eppure forse non era andato lontano da un'analisi politica che ancora viene discussa. Oggi, a 46 anni, fa il cronista politico precario a RaiNews 24 e lavora in Rai da undici anni. È passato per RaiSat Extra, per Rai International, per Rai3 (*Brontolo*, con Oliviero Beha) prima di arrivare all'all-news.

È stato direttore di "Articolo 21", l'associazione per la libertà di informazione, e ancora vi collabora, anche se Beppe Giulietti, il portavoce, sostiene che secondo lui, quando lo chiama, ogni tanto guarda sconsolato il telefono e non risponde. La politica è una passione, farla e raccontarla, anche se la seconda possibilità, ai nostri tempi, è meno pericolosa. Ma alla fine non è nemmeno così vero, soprattutto quando provi a fare la seconda domanda.

Per Melampo Editore ha scritto anche, insieme a Giovanni Belfiori, *Berlusconario*, che narra Silvio Berlusconi attraverso le sue performance nazionali e internazionali. Ama leggere e scrivere. È sposato con Anna Maria. Prima di andarsene vorrebbe: intervistare Beppe Grillo in streaming ma travestito da giornalista scozzese e in kilt, vedere un Paese normale, godersi il Torino che vince la Champions League, gioire per una legge sul conflitto di interessi, salutare Beppe Giulietti Ministro delle telecomunicazioni, ammirare gli assistenti equiparati ai giornalisti e ritrovare tutti gli amici fuori dal precariato.

Indice

Ultimi volumi pubblicati in "Universale Economica"

Luciano Bianciardi, *La vita agra*

Luciano Bianciardi, *Il lavoro culturale*

A.M. Homes, *Musica per un incendio*

Enrico Deaglio, *Il vile agguato*. Chi ha ucciso Paolo Borsellino. Una storia di orrore e menzogna. Con una nuova introduzione dell'autore

Stefano Benni, *Le Beatrici*

Mathias Malzieu, *La meccanica del cuore*

José Saramago, *Di questo mondo e degli altri*

Giorgio Bassani, *L'airone*

Steve Turner, *Johnny Cash*. La vita, l'amore e la fede di una leggenda americana

Banana Yoshimoto, *High and Dry. Primo amore*

Anna Funder, *Tutto ciò che sono*

Henry Miller, *Plexus*

Charles Bukowski, *Shakespeare non l'ha mai fatto*. Nuova traduzione di Simona Viciani

Piersandro Pallavicini, *Romanzo per signora*

Emir Kusturica, *Dove sono in questa storia*

Eddy Cattaneo, *Mondoviaterra*. 108.000 Km. 467 giorni senza bucare il cielo

Oliver Harris, *L'impostore*

Giovanni Testori, *Il ponte della Ghisolfa*

Gianni Celati, *Fata Morgana*

Erri De Luca, *E disse*

Daniel Glattauer, *In città zero gradi*

Ryszard Kapuściński, *Cristo con il fucile in spalla*

Paul Bowles, *Lascia che accada*

Enrico Filippini, *L'ultimo viaggio*. Introduzione e cura di Alessandro Bosco. Nuova edizione rivista e accresciuta

Bert Hellinger, *Ordini dell'amore*. Un manuale per la riuscita delle relazioni

Alberto Pellai, *E ora basta!* I consigli e le regole per affrontare le sfide e i rischi dell'adolescenza

Rolf Sellin, *Le persone sensibili hanno una marcia in più*. Trasformare l'ipersensibilità da svantaggio a vantaggio

Massimo Scotti, *Storia degli spettri*. Fantasmi, medium e case infestate fra scienza e letteratura

Umberto Galimberti, *Le cose dell'amore*. Opere XV

Massimo Mucchetti intervista Cesare Geronzi, *Confiteor*. Potere, banche e affari. La storia mai raccontata

Ermanno Rea, *La fabbrica dell'obbedienza*. Il lato oscuro e complice degli italiani

Nouriel Roubini, Stephen Mihm, *La crisi non è finita*

Ervand Abrahamian, *Storia dell'Iran*. Dai primi del Novecento a oggi

Giorgio Bocca, *Fratelli coltelli*. 1943-2010. L'Italia che ho conosciuto

Bushido, La Via del guerriero. A cura di Marina Panatero e Tea Pecunia

Stephen Nachmanovitch, *Il gioco libero della vita*. Trovare la voce del cuore con l'improvvisazione

Osho, *Il sentiero si crea camminando*. Lo Zen come metafora della vita

Nicolas Barreau, *Con te fino alla fine del mondo*

Antonio Tabucchi, *Il piccolo naviglio*

Paolo Rumiz, *Annibale*. Un viaggio

Giovanni Filocamo, *Il matematico curioso*. Dalla geometria del calcio all'algoritmo dei tacchi a spillo

Matthew Stewart, *Il cortigiano e l'eretico*. Leibniz, Spinoza e il destino di Dio nel mondo moderno

José Saramago, *Lucernario*

Lotte & Søren Hammer, *La bestia dentro*

Eugenio Borgna, *La solitudine dell'anima*

Christine Rankl, *Così calmo il mio bambino*. Risposte equilibrate al pianto del neonato

Kahlil Gibran, *Gesù figlio dell'uomo*

Giorgio Bassani, *L'odore del fieno*

Salvatore Lupo, *Il fascismo*. La politica in un regime totalitario

Stefano Bartolini, *Manifesto per la felicità*. Come passare dalla società del ben-avere a quella del ben-essere

Edward W. Said, *Dire la verità*. Gli intellettuali e il potere

Alessandro Baricco, *Tre volte all'alba*

Banana Yoshimoto, *Moshi moshi*

Giuseppe Catozzella, *Alveare*

Richard Sennett, *Insieme*. Rituali, piaceri, politiche della collaborazione

Barbara Berckhan, *Piccolo manuale di autodifesa verbale.*
Per affrontare con sicurezza offese e provocazioni
Erri De Luca, *Il torto del soldato*
Elias Khoury, *La porta del sole*
Pino Cacucci, *¡Viva la vida!*
Manuel Vázquez Montalbán, *La bella di Buenos Aires*
Cesare De Marchi, *Il talento*
Cesare De Marchi, *La vocazione*
Ermanno Rea, *La dismissione*
Nicola Gardini, *Le parole perdute di Amelia Lynd*
Kevin D. Mitnick, con la collaborazione di William L. Simon, *L'arte dell'hacking*. Consulenza scientifica di R. Chiesa
Lucien Febvre, *L'Europa*. Storia di una civiltà. Corso tenuto al Collège de France nell'anno accademico 1944-1945. A cura di Thérèse Charmasson e Brigitte Mazon. Presentazione dell'edizione italiana di C. Donzelli. Presentazione dell'edizione francese di M. Ferro
Salvatore Niffoi, *Pantumas*
Nicholas Shaxson, *Le isole del tesoro*. Viaggio nei paradisi fiscali dove è nascosto il tesoro della globalizzazione
Donne si diventa. Antologia del pensiero femminista. A cura di E. Missana
Devapath, *La potenza del respiro*. Dieci meditazioni del metodo Osho Diamond Breath® per arricchire la tua vita
Grazia Verasani, *Quo vadis, baby?*
Danny Wallace, *La ragazza di Charlotte Street*
Cristina Comencini, *Lucy*
Stefano Benni, *Di tutte le ricchezze*
Michele Serra, *Cerimonie*
Benedetta Cibrario, *Lo Scurnuso*
Alejandro Jodorowsky, *Il maestro e le maghe*
Martino Gozzi, *Giovani promesse*
Patch Adams, *Salute!* Curare la sofferenza con l'allegria e con l'amore
Michael Laitman, *La Cabbala rivelata*. Guida personale per una vita più serena. Introduzione di E. Laszlo
Paolo Di Paolo, *Raccontami la notte in cui sono nato*. Con una nuova postfazione dell'autore
José Saramago, *Oggetto quasi*. Racconti

Amos Oz, *Tra amici*

Louise Erdrich, *La casa tonda*

Daniel Glattauer, *Per sempre tuo*

Henry Miller, *Nexus*

Gianni Celati, *Recita dell'attore Vecchiatto*. Nuova edizione

Ruggero Cappuccio, *Fuoco su Napoli*

Arnulf Zitelmann, *Non mi piegherete*. Vita di Martin Luther King

Jean-François Lyotard, *La condizione postmoderna*. Rapporto sul sapere

Leela, Prasad, Alvina, *La vita che vuoi*. Le leggi interiori dell'attrazione

Carlo Ginzburg, *Rapporti di forza*. Storia, retorica, prova

Guido Crainz, *L'ombra della guerra*. Il 1945, l'Italia

Paolo Rossi con Federica Cappelletti, *1982*. Il mio mitico Mondiale

Janne Teller, *Niente*

Paolo Sorrentino, *Tony Pagoda e i suoi amici*

Erri De Luca, *Solo andata*. Righe che vanno troppo spesso a capo

Robyn Davidson, *Orme*. Una donna, quattro cammelli e un cane nel deserto australiano

Chiara Valentini, *Enrico Berlinguer*. Nuova edizione

Domenico Rea, *Mistero napoletano*. Vita e passione di una comunista negli anni della guerra fredda. Postfazione di S. Perrella

John Cheever, *Sembrava il paradiso*

Richard Ford, *L'estrema fortuna*

William McIlvanney, *Come cerchi nell'acqua*. Le indagini di Laidlaw

Richard H. Thaler, Cass R. Sunstein, *Nudge. La spinta gentile*. La nuova strategia per migliorare le nostre decisioni su denaro, salute, felicità

S.O.S. Tata. Dai 6 ai 9 anni. Nuovi consigli, regole e ricette per crescere ed educare bambini consapevoli e felici. A cura di E. Ambrosi

Gabriella Turnaturi, *Signore e signori d'Italia*. Una storia delle buone maniere